suhrkamp taschenbuch 1070

Peter Handke, geb. 1942 in Griffen (Kärnten), lebt heute wieder in Österreich.

Die Erzählung *Langsame Heimkehr* endet, als das Flugzeug zur Landung auf dem Kontinent ansetzt. Der erste Satz der *Lehre der Sainte-Victoire* lautet: »Nach Europa zurückgekehrt, brauchte ich die tägliche Schrift und las vieles neu.« Aus Sorger, dem »Helden« der *Langsamen Heimkehr,* ist der Autor geworden, der sich nach dem Recht zu schreiben fragt. Nicht in Form eines Traktates, sondern als eine Erzählung von Wanderungen in der Provence – von den Auseinandersetzungen mit dem Mont Sainte-Victoire und dessen Abbildern, »Verwirklichungen«, auf den Gemälden Cézannes –, zum Mont-Valérien in Paris oder »auf« den Havelberg in Berlin und – schließlich – im Morzger Wald bei Salzburg. Die zweite Begegnung mit der Sainte-Victoire und Cézanne, »dem Menschheitslehrer der Jetztzeit«, erlaubt es Handke, eine Poetik, seine Poetik, zu schreiben als die »Lehre« der Sainte-Victoire. Das »Recht, zu schreiben« gründet sich für ihn auf die Erfahrung des Zusammenhangs, der Verwandtschaft, zwischen dem Ich und den Dingen; Ziel des Autors Peter Handke ist es, »diesen Zusammenhang, in einer treuestiftenden Form!, weiterzugeben«. In diesem Sinn kann *Die Lehre der Sainte-Victoire* als die erzählte Darlegung jener ästhetischen Auffassungen gelesen werden, die der vierbändigen *Langsamen Heimkehr* zugrunde liegen.

»Es ist ein Buch der ›Recherche‹, der Suche und des langsamen Wiederfindens, Sich-Findens, Bewußtsein- und Identität- und Kunst-Findens in einer wunderbar einfachen und komplizierten, in einer zeitlos anwesenden und zeitgenössischen Sprache, einer – wenn es das gäbe – zugleich ausgeruhten und in Unruhe versetzenden sprachlichen Diktion. Die Sprache eines einsamen Spaziergängers und Schrift- und Fährtensuchers, dem eine Blickwendung, eine andere Winkelung der Perspektive schon Veränderung und andere Einsicht bedeutet wie Cézanne, als er in seiner Landschaft des Midi den Höhenzug der Sainte-Victoire immer wieder vor Augen hatte und mit den Mitteln seiner Kunst festzuhalten versuchte. (...)« *Karl Krolow*

Peter Handke
Die Lehre der Sainte-Victoire

Suhrkamp

suhrkamp taschenbuch 1070
Erste Auflage 1984
© Suhrkamp Verlag Frankfurt am Main 1980
Suhrkamp Taschenbuch Verlag
Alle Rechte vorbehalten, insbesondere das des
öffentlichen Vortrags, der Übertragung durch
Rundfunk und Fernsehen und der Übersetzung,
auch einzelner Teile
Satz: IBV Lichtsatz KG, Berlin
Druck: Ebner Ulm · Printed in Germany
Umschlag nach Entwürfen
von Willy Fleckhaus und Rolf Staudt

1 2 3 4 5 6 – 89 88 87 86 85 84

für Hermann Lenz und Hanne Lenz,
zum Dank für den Januar 1979

»Diesen Abend verspreche ich Ihnen ein Märchen, durch das Sie an nichts und an alles erinnert werden sollen.«

Goethe, Das Märchen

Der große Bogen

Nach Europa zurückgekehrt, brauchte ich die tägliche Schrift und las vieles neu.

Die Bewohner des abgelegenen Dorfes in Stifters *Bergkristall* sind sehr stetig. Wenn ein Stein aus einer Mauer fällt, wird derselbe wieder hineingesetzt, die neuen Häuser werden wie die alten gebaut, die schadhaften Dächer werden mit gleichen Schindeln ausgebessert. Augenfällig und einleuchtend erscheint solche Beständigkeit in dem Beispiel von den Tieren: »die Farbe bleibt bei dem Hause«.

Einmal bin ich dann in den Farben zu Hause gewesen. Büsche, Bäume, Wolken des Himmels, selbst der Asphalt der Straße zeigten einen Schimmer, der weder vom Licht jenes Tages noch von der Jahreszeit kam. Naturwelt und Menschenwerk, eins durch das andere, bereiteten mir einen Beseligungsmoment, den ich aus den Halbschlafbildern kenne (doch ohne deren das Äußerste oder das Letzte ankündigende Bedrohlichkeit), und der *Nunc stans* genannt worden ist: Augenblick der Ewigkeit. – Das Gebüsch war gelber Ginster, die Bäume waren vereinzelte braune Föhren, die Wolken erschienen durch den Erddunst bläulich, der Himmel (wie Stifter in seinen Erzählungen noch so ruhig hinsetzen konnte) war blau. Ich war stehengeblieben auf einer Hügelkuppe der *Route Paul Cézanne*, die von Aix-en-Provence ostwärts zum Dorf Le Tholonet führt.

Das Unterscheiden und, noch mehr, das Benennen von Farben ist mir seit je schwergefallen.
Der ein bißchen mit seinem Wissen prunkende Goethe der *Farbenlehre* erzählt da von zwei Subjekten, in denen ich mich zum Teil wiedererkenne. Zum Beispiel verwechseln diese beiden »Rosenfarb, Blau und Violett durchaus«: nur durch kleine Schattierungen des Helleren, Dunkleren, Lebhafteren, Schwächeren scheinen sich solche Farben für sie voneinander abzusondern. Der eine bemerkt bei Schwarz etwas Bräunliches und bei Grau etwas Rötliches. Überhaupt empfinden die zwei die Abstufung von Hell und Dunkel sehr zart. – Sie sind wohl krank, aber Goethe betrachtet sie noch als Grenzfälle. Freilich: Wenn man die Unterhaltung mit ihnen dem Zufall überlasse und sie über vorliegende Gegenstände befrage, so gerate man in die größte Verwirrung und fürchte, wahnsinnig zu werden.
Durch diese Anmerkung des Wissenschaftlers hat sich mir, über das bloße Wiedererkennen hinaus, ein Bild der Einheit zwischen meiner ältesten Vergangenheit und der Gegenwart gezeigt: In einem weiteren Augenblick des »stehenden Jetzt« sehe ich die Leute von damals – Eltern, Geschwister,

und sogar noch die Großeltern – vereint mit den heutigen, wie sie sich über meine Farbenangaben zu umliegenden Dingen belustigen. Es erscheint geradezu als ein Familienspiel, mich die Farben raten zu lassen; wobei freilich nicht die anderen die Verwirrten sind, sondern ich.

Zum Unterschied von Goethes beiden Subjekten aber handelt es sich demnach bei mir nicht um eine Erbkrankheit. Ich bin in meinem Umkreis ein Einzelfall. Trotzdem habe ich mit der Zeit erfahren, daß ich nicht bin, was man gemeinhin farbenblind nennt, und auch nicht an einer besonderen Form dieser Störung leide. Manchmal sehe ich meine Farben, und es sind die richtigen.

Vor kurzem stand ich im Schnee auf dem Untersberggipfel. Knapp über mir, fast zum Angreifen, schwebte im Wind eine Rabenkrähe. Ich sah das wie ins Inbild eines Vogels gehörende Gelb der an den Körper gezogenen Krallen; das Goldbraun der von der Sonne schimmernden Flügel; das Blau des Himmels. – Zu dritt ergab das die Bahnen einer weiten luftigen Fläche, die ich im selben Augenblick als dreifarbige Fahne empfand. Es war eine Fahne ohne Anspruch, ein Ding rein aus Farben. Durch sie sind aber die stofflichen Fahnen, die bisher den Anblick meist nur verhängt hatten, zumindest etwas Betrachtbares geworden; denn in meiner Phantasie steht ihre friedliche Ursache.

Vor zwanzig Jahren bin ich auf meine Wehrfähigkeit geprüft worden. Dabei hat der sonst so farbunsichere Bursche, der ich war, beim Farbtafeltest die gefragten Zahlen ziemlich genau aus dem Punktgewirr herausgefunden. Als ich dann zu Hause das Ergebnis der Untersuchung mitteilte (»tauglich zum Dienst mit der Waffe«), meldete sich der Stiefvater – wir sprachen sonst nicht mehr miteinander – und sagte, jetzt sei er zum ersten Mal stolz auf mich.

Ich schreibe das auf, weil meine mündlichen Erzählungen davon immer unvollständig und zudem falsch eindeutig waren. Im Reden nannte ich den Mann jedesmal »leicht betrunken«. Dieses an sich richtige Detail macht jedoch die ganze Geschichte unstimmig. Entspricht es der Wirklichkeit nicht eher, daß ich an jenem Tag das Haus und den Garten mit einem seltenen Ankunftsgefühl sah? Die Bemerkung des Stiefvaters war mir sofort zuwider. Aber warum ist sie im Gedächtnis verbunden mit dem frischen Rotbraun des von dem Mann gerade umgegrabenen Gartens? War nicht auch ich zu einem Teil stolz mit der Nachricht heimgekommen?

Die Farbe des Bodens ist jedenfalls das an dem Vorfall Nachwirkende. Wenn ich den Augenblick jetzt suche, stehe ich nicht mehr als der Jugendliche davor, sondern finde mich zeitlos, ohne Umriß, als mein Wunsch-Ich ganz in dem Rotbraun drin, als einer Klarheit, durch die ich mich und auch den ehemaligen Soldaten verstehen kann. (Zu Stifters ersten Erinnerungen gehörten die dunklen Flecken in ihm. Später wußte er, »daß es Wälder gewesen sind, die außerhalb waren«. Jetzt öffnen mir seine Erzählungen immer wieder farbige Stellen in gleichwelchen Wäldern.)

Während des deutsch-französischen Krieges 1870/71 ließ sich Paul Cézanne durch seinen Vater, den reichen Bankier, vom Waffendienst loskaufen. Er verbrachte die Kriegszeit malend in L'Estaque, das damals ein Fischerdorf in einer Bucht westlich von Marseille war und heute zur industrialisierten Großstadt-Banlieue gehört.
Ich kenne den Ort nur von Cézannes Bildern. Doch schon der bloße Name *L'Estaque* macht mir eine Friedensvorstellung räumlich. Die Gegend, was auch aus ihr geworden ist, bleibt »der Ort und die Stelle der Verborgenheit«; nicht nur vor jenem Krieg von 1870, nicht nur für den Maler von damals, und nicht nur vor einem erklärten Krieg.
Cézanne hat ja in den Jahren danach noch oft dort gearbeitet, mit Vorliebe in der starken Hitze und einer »so fürchterlichen Sonne«, daß ihm schien, »als ob alle Gegenstände sich als Schatten abhöben, nicht nur in Schwarz oder Weiß, sondern in Blau, Rot, Braun und Violett«. Die Bilder der Versteckzeit waren fast schwarzweiß gewesen, haupt-

sächlich Winterstimmungen; danach aber wurde ihm der Ort, mit den roten Dächern vor dem blauen Meer, allmählich zu seinem »Kartenspiel«.

In den Briefen aus L'Estaque kam es dann auch das erste Mal vor, daß er seinem Namen das Wort »pictor« hinzufügte, wie einst die klassischen Maler. Es war der Ort, »von dem ich mich so spät als nur irgend möglich entfernen werde, denn es gibt hier einige sehr schöne Aussichten«. Keine Stimmungen mehr sind in den Nachkriegsbildern, und keine besonderen Tages- oder Jahreszeiten: energisch zeigt die Form immer wieder das Elementardorf am Ruhigblauen Meer.

Gegen die Jahrhundertwende entstanden um L'Estaque die Raffinerien, und Cézanne hörte auf, den Ort zu malen; in ein paar hundert Jahren werde es überhaupt völlig sinnlos sein, zu leben. – Nur auf den geologischen Karten erscheint die Region noch unversehrt im Farbenspiel, und eine kleine resedagrüne Fläche hat sogar, wohl auf Dauer, den Namen *Calcaire de L'Estaque*.

Ja, dem Maler Paul Cézanne verdanke ich es, daß ich an jener freien Stelle zwischen Aix-en-Provence und dem Dorf Le Tholonet in den Farben stand und sogar die asphaltierte Straße mir als Farbsubstanz erschien.

Ich bin aufgewachsen in einer kleinbäuerlichen

Umgebung, wo es Bilder fast nur in der Pfarrkirche oder an den Bildstöcken gab; so habe ich sie wohl von Anfang an als bloßes Zubehör gesehen und mir von ihnen lange nichts Entscheidendes erwartet. Manchmal verstand ich sogar Einrichtungen wie die religiösen oder staatlichen Bilderverbote, die ich dann auch mir, dem bloß abgelenkt Hinblickenden, gewünscht hätte. War ein in das Endlose fortsetzbares Ornament, indem es mein Unendlichkeitsbedürfnis ansprach, weiterleitete und bekräftigte, nicht das richtigere Gegenüber? (Angesichts eines altrömischen Mosaikfußbodens gelang mir so einmal die Phantasie vom Sterben als einem schönen Übergang, ohne die übliche Verengung »Tod«.) – Und ist es nicht überhaupt erst die vollständige, farben- und formenlose Leere, die sich am wunderbarsten beleben kann? (Ein Satz eines Priesters aus einem anderen »abgelegenen Dorf« – kein Laie dürfte sich eine solche Verkündung erlauben – gehört hierher, und sei nicht vergessen, wegen des weggelassenen Artikels vor dem letzten Wort: »Unendliches Liebesschwingen zwischen der Seele und Gott, das ist Himmel.«)

So verhielt ich mich zu den Bildermalern eher undankbar; denn das vermeintliche Beiwerk hatte mir doch nicht selten zumindest als Sehtafel gedient, und nicht weniges war wiederkehrendes Phantasie- und Lebensbild geworden. Die Farben und Formen wurden dabei freilich für sich kaum wahrgenommen. Was zählte, war immer der besondere Gegenstand. Farben und Formen, ohne Gegenstand, waren zu wenig – die Gegenstände in ihrer Tagvertrautheit zu viel. – »Besonderer Gegenstand« ist noch nicht das richtige Wort; denn geltend waren gerade die Normalsachen, die aber der Maler in den Schein des Besonderen gestellt hatte – und die ich jetzt kurz die »magischen« nennen kann.

Die Beispiele, die mir einfallen, sind sämtlich Landschaften: und zwar solche, die den entvölkerten, schweigendschönen Drohbildern des Halbschlafs entsprechen. Auffällig an ihnen ist, daß sie jeweils eine Serie darstellen. Oft verkörpern sie sogar eine ganze Periode des Malers: die leeren *metaphysischen Plätze* De Chiricos; die verödeten mondüberstrahlten Dschungelstädte Max Ernsts, deren jede einzeln *Die ganze Stadt* heißt; Magrittes *Reich der Lichter*, jenes wiederholte Haus unter den Laubbäumen, das im Finstern steht, während rundum ein weißblauer Taghimmel strahlt; und endlich, vor allem, die in den Föhrenwäldern von Cape Cod/Massachusetts verborgenen Holzhäuser des amerikanischen Malers Edward Hopper, mit Namen wie *Straße und Häuser* und *Straße und Bäume*.

Hoppers Landschaften aber sind weniger traumdrohend als verlassen-wirklich. Man kann sie an

Ort und Stelle, im vernünftigen Tageslicht, wiederfinden; und als ich vor ein paar Jahren nach Cape Cod fuhr, wo es mich schon länger hingezogen hatte, und dort seinen Bildern nachging, fühlte ich mich, überall auf der Landzunge, erstmals im Reich eines Künstlers stehen. Die Kurven, Hebungen und Senkungen der Dünenstraße könnte ich jetzt nachziehen. Die Einzelheiten, oft ganz andere als die von Edward Hopper gemalten, befinden sich im Gedächtnis links und rechts, wie auf einer Leinwand. In der Mitte eines solchen Nachbildes steckt ein Schilfkolben im dicken Eis eines Teiches und gehört zu einer Blechbüchse daneben. – Für mich dort hingekommen, fuhr ich dann schon weg in dem Bewußtsein, draußen, in der Praxis eines Malers und der Landschaftsformen Neu-Englands, die Vorbereitungen eines Reiseführers getroffen zu haben: Nachts hatte ich die gar nicht verlassenen, vielmehr eine Wunschwohnung darstellenden Holzhäuser zwischen den Kiefern blinken sehen und da das Heim für den Helden einer noch zu schreibenden Erzählung gefunden.

Die Dichter lügen, steht bei einem der ersten Philosophen. Es herrscht also vielleicht schon seit jeher die Meinung, das Wirkliche, das seien die schlechten Zustände und die unguten Ereignisse; und die Künste seien dann wirklichkeitstreu, wenn ihr Haupt- und Leitgegenstand das Böse ist, oder die mehr oder weniger komische Verzweiflung darüber. Doch warum kann ich von all dem nichts mehr hören; nichts sehen; nichts lesen? Warum wird mir, sowie ich selber auch nur einen einzigen mich beklagenden, mich oder andere beschuldigenden oder bloßstellenden Satz hinschreibe – es sei denn, es ist der Heilige Zorn dabei! –, buchstäblich schwarz vor den Augen? Und werde andrerseits nie vom Glück schreiben, geboren zu sein, oder vom Trost in einem besseren Jenseits: das Sterbenmüssen wird immer das mich Leitende, doch hoffentlich nie mehr mein Hauptgegenstand sein.

Cézanne hat ja anfangs Schreckensbilder, wie die Versuchung des Heiligen Antonius, gemalt. Aber mit der Zeit wurde sein einziges Problem die Verwirklichung (»réalisation«) des reinen, schuldlosen Irdischen: des Apfels, des Felsens, eines menschlichen Gesichts. Das Wirkliche war dann die erreichte Form; die nicht das Vergehen in den Wechselfällen der Geschichte beklagt, sondern ein Sein im Frieden weitergibt. – Es geht in der Kunst um nichts anderes. Doch was dem Leben erst sein Gefühl gibt, wird beim Weitergeben dann das Problem.

Was fing mit mir an, als wir, die Frau und ich, damals, noch in der Zeit der magischen Bilder, durch eine andere südfranzösische Landschaft fuhren?

Zu jener Fahrt gehört jetzt auch der Spaziergang, den ich am Abend zuvor in das unerschlossene Hügelland machte, wo das Haus der Frau lag. Es war einer der letzten Tage des Jahres, und der Mistral, sonst der kalte Fallwind aus dem Zentralmassiv, war einmal warm; sein Gebläse zwar stark, aber stetig, ohne das jäh Stürmische, das als Sehstörung wirkt. Obwohl es bald keinen Weg mehr gab, blieb doch immer ein Nahgefühl des Hauses mit der Frau. Diese hatte mir zum ersten Mal die Bilder Edward Hoppers gezeigt, war fähig, unscheinbare Dinge gernzuhaben, und wußte, »wer ich bin«. Ich setzte mich auf eine Graslichtung, die in einem einzigen Zittern lag. Die gebeugten Baumkronen standen fast bewegungslos. Die Luft war klar, und im noch hellen westlichen Horizont bildeten sich unaufhörlich Wolkensträhnen, schossen in den Himmel auf und verschwanden dort wieder – und der folgende Mondaufgang tritt jetzt, »im Bedenken des Gesehenen« (wie Cézanne einmal seine Arbeitsweise beschrieb), in Analogie mit einem zweiten Mond, den ich an einem ähnlich ruhigen Abend über einer nahen Horizontlinie als den gelbleuchtenden Torbogen einer Scheune erblickte. Ich saß in dem Gesause, wie einst das Kind in dem Sausen einer bestimmten Fichte gesessen war (und wie ich später mitten in einem Stadtlärm im Rauschen des dortigen Flusses stehen konnte).

Die Autofahrt des nächsten Tages war der Beginn einer gemeinsamen Reise und brachte uns hinunter zur Küste. Der Mistral hatte sich gelegt; ein lauer, weiträumiger Wintertag. In der steinigen Landschaft wuchsen schütter die Mittelmeerpinien. Deren besonderen Namen, der mir wie ein Refrain, mit der Jahreszahl 1974, oft wiedergekehrt ist, habe ich von der Frau: *Pins parasol*. Die Straße führte leicht abwärts an ihnen vorbei. Da (nicht »plötzlich«), mit der Straße und den Bäumen, stand die Welt offen. »Da« wurde auch woanders. Die Welt war ein festes tragendes Erdreich. Die Zeit steht ewig und täglich. Das Offene kann, immer wieder, auch ich sein. Ich kann die Verschlossenheit wegwollen. Ich soll beständig so ruhig in der Welt draußen (in den Farben und Formen) sein. Die Schuld trifft mich dann, wenn ich, in Gefahr, mich zu verschließen, nicht die auf Lebenszeit mögliche Geistgegenwart will.

In einer Erzählung, die ich ein halbes Jahrzehnt davor geschrieben hatte, wölbte sich einmal eine Landschaft, obwohl sie eben war, so nah an den Helden heran, daß sie ihn zu verdrängen schien. Die ganz andere, konkav geweitete, vom Druck entlastende und den Körper freidenkende Welt von 1974 steht jedoch immer noch vor mir, als weiterzugebende Entdeckung: die Schirmpinien und meine Daseinsfreude, das ist geltende Wirklichkeit. Jedenfalls waren die *pins parasol* inzwischen oft von Nutzen, wenn sich die fremden Hausflure mir entgegenwölbten; mag auch die Person jener früheren Welt immer wieder geistesabwesend-fassungslos werden (es gibt eine eigene Schuld).

Fing tatsächlich erst damals etwas mit mir an? Habe ich mir nicht schon viel früher, vor anderen südlichen Bäumen, eine vernünftige Freude denken können? Vor den dunklen Zypressen vom Sommer 1971 in Jugoslawien: was gab da, Tag für Tag mehr, in mir nach, so daß schließlich jemand erstmals die Arme ausbreitete? (Auch der Maulbeerbaum gehört hierher, in dessen Schatten wir oft saßen, und der helle Sand zu seinen Füßen, von den abgefallenen Früchten saftrot gesprenkelt.) Damals geschah die Verwandlung. Der Mensch, der ich war, wurde groß, und zugleich verlangte es ihn auf die Knie, oder überhaupt mit dem Gesicht nach unten zu liegen, und in dem allen niemand zu sein.
Die Verwandlung war natürlich. Es war der Versöhnungswunsch, der, nach dem Wort des Philosophen, aus dem »Begehren des Begehrens des anderen« kam; und er schien mir wirklich-vernünftig, und galt mir ab da auch fürs Schreiben.
Zugleich war es keine gute Zeit. (Meine Mutter schickte mir in Sterbensangst Hilferufe, auf die ich

wenig zu antworten wußte.) So sah ich in die Zypressen auch wieder die magischen Totenbäume der Alten hinein. »Sich einträumen in die Dinge« war ja lange eine Maxime beim Schreiben gewesen: sich die zu erfassenden Gegenstände derart vorstellen, als ob ich sie im Traum sähe, in der Überzeugung, daß sie dort erst in ihrem Wesen erscheinen. Sie bildeten dann um den Schreibenden einen Hain, aus dem er freilich oft nur mit Not in ein Leben zurückfand. Zwar sah er immer wieder ein Wesen der Dinge, aber das ließ sich nicht weitergeben; und indem er es zum Trotz festhalten wollte, wurde er selber sich ungewiß. – Nein, die magischen Bilder – auch der Zypressen – waren nicht die richtigen für mich. In ihrem Innern ist ein gar nicht friedliches Nichts, in das ich freiwillig nie mehr zurück möchte. Nur außen, bei den Tagesfarben, *bin* ich.

Der Staat ist die »Summe seiner Normen« genannt worden. Ich dagegen weiß mich verpflichtet dem Reich der Formen, als einer anderen Rechtsordnung, in der »die wahren Ideen«, wie der Philosoph gesagt hat, »mit ihren Gegenständen übereinstimmen«, und jede Form machtvoll ist als Beispiel (wenn auch die Künstler selber in den neueren Staaten »halbe Schatten und jetzt, in der Gegenwart, fast vollständig wesenlos« sind).
Doch was gibt einem das Recht, persönlich an die-

sem Reich mitzuwirken? Bei jeder Arbeit neu quält mich diese Frage, und es ist eine wiederkehrende Vorstellung, nur noch ein freundlich schweigender Leser zu sein. Einmal fühlte ich aber doch die Berechtigung – noch bevor ich überhaupt etwas geschrieben hatte. Ich erschaute das Thema, und damit das ersehnte »Buch«, und die Bücher. Es war nicht in einem Traum, sondern an einem sonnenhellen Tag; auch kein Vergehen vor südlichen Zypressen, sondern ich hier, und mein Gegenstand dort. – Wir fuhren in einer leichtgewellten Gegend auf einer ziemlich geraden Landstraße, an einem Sonntag im Spätsommer, in Oberösterreich. Die Straße war leer. Nur einmal ging auf der anderen Seite ein Mann, in weißem Hemd und schwarzem Anzug. Die Hosen waren weit und schlugen ihm beim Gehen um die Beine; und als wir später zurückfuhren, ging der Mann da immer noch, mit den um die Knöchel flatternden Hosen und aufgeknöpftem Rock, am Sonntag, in Oberösterreich, zu meiner Freude. – Dem Ich meines ersten Buches war es dann bei dem Anblick eines so Dahingehenden, als sollte er unter die Leute gehen und ihnen etwas sagen. Er würde mit Gewalt und Donner unter sie fahren und sie überzeugen. Fing demnach gar nichts Neues an mit den pins parasol von 1974, sondern kam eher etwas zurück, das ich, in der Wiederkehr, als »Das Wirkliche« begrüßen konnte?

Es gibt von Cézanne ein Bild, das man *Le grand pin* genannt hat. (Er selber hat ja seinen Bildern nie besondere Namen gegeben, auch selten eines signiert.) Es zeigt eine große, für sich stehende Kiefer am Fluß Arc, südöstlich von Aix, die auch der Baum seiner Kindheit war. Nach dem Baden saß er mit den Jugendfreunden da im Schatten und fragte später, als kaum Zwanzigjähriger, in einem Brief an Émile Zola, der einer von ihnen gewesen war: »Erinnerst du dich der Pinie am Ufer des Arc?« Er schrieb auf den Baum sogar ein Gedicht, in dem der Mistral durch das kahle Geäst bläst; und auch das Bild läßt an den Wind denken, vor allem durch die Krummheit des alleinstehenden Baumes, der, wie sonst kein Ding, »Draußen im Freien« heißen könnte: den Boden, von dem er aufragt, verwandelt er in ein Plateau, und seine in die Himmelsrichtungen verdrehten Äste und das Nadelkleid, mit dem vielfältigsten aller Grün, bringen die Leere rundum zum Schwingen.

Le grand pin ist noch in anderen Bildern dargestellt, aber nie mehr so für sich. In einem von ihnen (auf dem eine Signatur ist) winkt ihr unterer Ast sozusagen in die Landschaft hinein und formt mit den Zweigen einer Nachbarkiefer einen Torbogen für die Ferne, in der sich in den hellen Farben des Himmels das Massiv des Sainte-Victoire-Gebirges erstreckt.

Es gab, bevor ich auf Cézanne traf (und nach Edward Hopper), schon einen anderen Maler, der mich von bloßen Meinungen zu den Bildern abbrachte, und sie als Beispiele betrachten und als Werke verehren lehrte.

Ich las zu der Zeit die Beschreibung eines deutschen Dorfs im 19. Jahrhundert, von einem schwäbischen Bauern, der ein Dichter geworden war. Er wollte jedem kleinlichen Anschauen des Menschen fernstehen und nannte seine Gedichte Evangelien der Natur, geschrieben von deren Leser. (Mir wiederum, seinem Leser, kommen hier beim Anblick eines bestimmten fernen Schneefelds, das sich im Sonnendunst oft nur durch einen kleinen Glanz vom Himmel unterscheidet, seine Verkündungen nah: »Dein ist Alles, dein die Himmel selbst, und selbst die Sterne, wenn du Glanz hast für den Glanz der Ferne.«) – Wenn er freilich Prosa schrieb, schaute er die Menschen, seine Dorfleute, doch kleinlich an. Er wußte das auch: Manchmal empfand er es schwer, daß der »von der Feldarbeit ermüdete Leib nicht hören und sehen konnte«. (Das Leben dieses Christian Wagner, aus dem mit den Gedichten der Geist sprach, den aber, wie der Philosoph gesagt hat, erst die Einheit mit »seinem Gegenstand, dem Körper«, beständig macht, verdient das Wort »tragisch«, das doch so oft bloßes Vokabular ist.)

Zur gleichen Zeit sah ich zum ersten Mal bewußt

die Gemälde Gustave Courbets, von denen auch viele das bäuerliche Leben aus der Mitte des 19. Jahrhunderts darstellen, und wurde ergriffen von dem überlegenen Schweigen dieser Bilder; insbesondere von einem, das hieß: *Die Bauern von Flagey, auf der Heimkehr vom Markt, Doubs*. Und da wußte ich dann auch: Das sind jetzt die richtigen Bilder – nicht nur für mich.

Courbet, wie schon seine genau lokalisierenden Titel besagen, hat die tagtäglichen Genreszenen als die wirklichen, historischen Ereignisse gesehen. Und so bilden seine Gestalten, nur indem sie Korn sieben, an einem Grab stehen, eine Tote einkleiden, oder eben in der Dämmerung vom Markt heimwärts ziehen (wie auch seine bloß Sitzenden und Ausruhenden, Schlafenden und Träumenden) in der teilnehmenden Phantasie eine geschlossene Prozession – zu der jetzt auch »mein« Genre jener alten Frau gehört, die viel später, an einem warmen Sonnentag, mit ihrer Einkaufstasche langsam in einer Westberliner Seitenstraße spazierte und mir, zeit eines das Genre vertiefenden Schweigens, die Häuserfassaden als unseren gemeinsamen, noch glücklich andauernden Friedenszug offenbarte.

Der Maler Courbet war es auch, der dann 1871, in der Kommunezeit, besonders dazu beigetragen hat, daß die Siegessäule der Place Vendôme geschleift wurde: auf einem Platz, auf den die *rue de la Paix* zuführe, dürfe »kein Denkmal des Krieges und der Eroberungen« stehen. Er wurde dafür auf Monate eingesperrt, und viele Bilder aus dem Jahrzehnt danach (seinem letzten) handeln von nichts als einem Wildgrünen Meer, mit einem entsprechenden Himmel und kaum etwas Strand davor. Eins aus der Serie heißt *Die große Woge:* Wasser und Luftwerk sind fast seine einzigen Gegenstände; doch es wirkt fest durch deren Felsfarben, und dramatisch in der Vielzahl der aufeinander bezogenen Formen.

Für Cézanne hatte Courbet »die große Geste und die pompöse Manier der Meister«; *La grande vague* nannte er eine der »Entdeckungen des Jahrhunderts«. Als er im Louvre vor Courbets Bildern stand, rief er immer wieder nur die Namen der Dinge darauf aus: »Da, die Meute, die Blutlache, der Baum. Da, die Handschuhe, die Spitzen, die gebrochene Seide des Rocks.«

Seit ich denken kann, hatte ich, immer wieder, das Bedürfnis nach einem Lehrmeister. Manchmal genügte ein Wort, und ich fühlte mich, von Lernbegier beseelt, in die Nähe eines anderen hingezogen. Den paar Berufslehrern, die mir im Lauf der Zeit etwas weiterzugeben hatten, bin ich jetzt dankbar; aber keinen von ihnen könnte ich »meinen Lehrer« nennen. Der einzige Mensch auf der Universität, bei dem mich, als er in einer Rechtsvorlesung die Sollensnatur der Dinge in rätselhaft einfache mathematische Sätze brachte, eine bis dahin unerhörte Wissenslust ergriff und dessen »Schüler« ich zu werden begehrte (es war tatsächlich ein Begehren), war nur als Gast da und nach einer kurzen Woche wieder verschwunden. Die Schriftsteller, deren ernsthafter Leser ich bin, sind mir eher teuer wie Brüder – und kommen so manchmal auch allzu nah. Als eine Art Lehrer sehe ich nur jetzt, im nachhinein, manchmal den Großvater (viele haben wohl so einen »Großvater«): Wann immer er mich auf einen Weg mitnahm, ist mir dieser dann als Lehre geblieben (wenn auch anders als die »Lehrpfade« in den heutigen Wäldern).

Ich spüre das Unwissen immer wieder als eine Not; und daraus entsteht dann der ziellose Wissensdrang, aus dem keine Idee wird, weil er eben keinen »Gegenstand« hat, mit dem er »übereinstimmen« könnte. – Aber dann gibt vielleicht ein einzelnes Ding etwas zu verstehen und setzt so den »Geist des Anfangs«; und es kann ernst werden mit dem Studieren, das doch bei aller sonstigen Beschäftigung eine Sehnsucht geblieben war.

Als solche Dinge des Anfangs erlebte ich die Bilder Cézannes, auf einer Ausstellung im Frühjahr 1978, und wurde ergriffen von Studierlust, wie zuvor nur bei den Satzfolgen Flauberts. – Es waren die Arbeiten seines letzten Jahrzehnts, wo er

dann so nah an dem erstrebten »Verwirklichen«
seines jeweiligen Gegenstands war, daß die Farben und Formen diesen schon feiern können.
(»Unter Wirklichkeit und Vollkommenheit ver-
stehe ich ein und dasselbe«, schrieb der Philosoph.) Und trotzdem scheint auf den Bildern kein
zusätzliches Licht. Die gefeierten Gegenstände
wirken in ihren Eigenfarben, und selbst die helleren Landschaften bilden eine dunkelnde Einheit.
Die namenlosen Landleute der Provence des späten 19. Jahrhunderts, die Helden der Porträts,
sind ganz vorn und groß da, und thronen zugleich,
ohne besondere Insignien, in einem erdfarbenen
Grund, den sie als ihr Land besitzen.
Dunkelheit, Bahnen, Konstruktion, Stärkung,
Zug, sich verdunkelnde Augen: ja, es war die Er-
schütterung. Und nach zwei Jahren »Studierens«
findet sich auch ein entsprechender Satz zusammen: das Schweigen der Bilder wirkte hier so vollkommen, weil die Dunkelbahnen einer Konstruktion einen Allgemein-Zug verstärkten, zu dem ich
(Wort des Dichters) »hinüberdunkeln« konnte:
Erlebnis des Sprungs, mit dem zwei Augenpaare,
in der Zeit auseinander, auf einer Bildfläche zu-
sammenkamen.
»Das Bild fängt zu zittern an«, schrieb ich mir damals auf. »Eine Befreiung, daß ich jemanden lo-
ben und preisen kann.«
Ein Porträt ergriff mich besonders, weil es den

Helden meiner noch zu schreibenden Geschichte darstellte. Es hieß *Der Mann mit den verschränkten Armen*: ein Mensch, unter dessen Bild nie ein Eigenname stehen würde (trotzdem nicht irgendwer), gesehen im Winkel eines ziemlich leeren Raums, den nur die Bodenleisten markierten; dasitzend im Dunkel der Erdfarben, die auch ihn selber modulierten; in einem, so schien mir, »idealen Alter: schon Festigkeit, aber noch Sehnsucht«. (Als ich seine Haltung nachstellte, befremdete freilich die unter den Arm weggesteckte Hand, und es brauchte geradezu einen Willen, sich aus der Verschränkung wieder zu lösen.) – Die Augen des Mannes blickten schräg aufwärts, erwartungslos. Der eine Mundwinkel durch eine dikkere Schattenbahn leicht verzogen: »bescheidene Trauer«. Das Helle an ihm, außer dem offenen weißen Hemd, war die große gerundete Stirn unter den tiefschwarzen Haaren; in ihrer Nacktheit das Ungeschützte an ihm. Keineswegs sah ich den Mann als ein Ebenbild, auch nicht als einen Bruder; vielmehr als einen Komplizen, der jetzt, da ich mit seiner Geschichte zu Ende bin, wieder der unberührbare *Homme aux bras croisés* ist und ein kleines Schweigelächeln ausstrahlt.

Von verwandten Porträts aber gab es damals so viele, daß ich die anderen Bilder der Ausstellung kaum mehr fassen konnte. – In einem Raum für sich, der rund wirkte, zeigte der ganze Kreis immer wieder den Gipfel der Sainte-Victoire, den der Maler in verschiedenen Blickwinkeln, doch nur unten aus der Ebene und aus der Ferne, dargestellt hat. Er sagte ja: »Derselbe Gegenstand, unter einem anderen Blickwinkel gesehen, bietet ein Studienobjekt von äußerstem Interesse und von solcher Mannigfaltigkeit, daß ich glaube, ich könnte mich während einiger Monate beschäftigen, ohne den Platz zu wechseln, indem ich mich jetzt mehr nach rechts, dann mehr nach links wende.«

In der Ausstellung war ich bei dem Berg bald weitergegangen. Doch mit der Zeit färbte er sich in mir immer dunkler, und eines Tages, lange danach, konnte ich sagen, daß ich ein Ziel hatte.

Die Anhöhe der Farben

Die Sainte-Victoire ist nicht die höchste Erhebung der Provence, aber, wie man sagt, die jäheste. Sie besteht nicht aus einem einzigen Gipfel, sondern aus einer langen Kette, deren Kamm in der fast gleichmäßigen Höhe von tausend Metern über dem Meer annähernd eine Gerade beschreibt.

Als der jähe Gipfelberg erscheint sie nur unten aus dem Bassin von Aix, das, einen halben Tagesgang entfernt, ziemlich genau im Westen liegt: was von dort aus die endgültige Bergspitze ist, bedeutet erst den Anfang des Höhenkamms, der dann einen zweiten Halbtag lang weiter in die Ostrichtung streicht.

Diese von Norden sanft ansteigende und nach Süden fast senkrecht in eine Hochebene abfallende Kette ist eine mächtige Kalkschollenauffaltung, und der Grat ist deren obere Längsachse. Zusätzlich dramatisch wirkt die westliche Ansicht des Dreispitzes, weil sie gleichsam einen Querschnitt des gesamten Massivs mit seinen verschiedenen Faltenschichten darstellt, so daß auch jemand, der nichts von dem Berg weiß, unwillkürlich eine Ahnung von dessen Entstehung kriegt und ihn als etwas Besonderes sieht.

Um diese eine, aus der Ebene himmelhoch ragende Scholle liegen noch viele flachere, die durch Brüche voneinander abgehoben sind, unterscheidbar durch den Wechsel der Felsfarben und des Gesteinsmusters; auch sie, wo sie einst seitlich eingeengt wurden, aufgefaltet und so die Formen des Berges im kleinen in die Ebene fortsetzend.

Das Erstaunliche und Befremdliche an der Sainte-Victoire aber sind vor allem die Helligkeit und der dolomitische Glanz des Kalksteins, den eine Kletterbroschüre einen »Felsen bester Qualität« nennt. Keine Straße führt da hinauf. Das ganze Gebirge, auch die flachwinklige Nordflanke, ist ohne einen fahrbaren Weg, und ohne ein bewohntes oder bewirtschaftetes Haus (am Kamm steht noch eine verlassene Mönchskapelle aus dem 17.

Jahrhundert). Die Südwand ist nur für Bergsteiger; aber von allen anderen Seiten kommt man
ohne viel Umstände hinauf und kann oben am
Kamm noch lange weitergehen. Es ist, selbst vom
nächstgelegenen Dorf unten, insgesamt eine Ta-
gesunternehmung.

Ja, als ich dann an dem Julitag auf der Route Paul
Cézanne in östlicher Richtung ging, wurde es,
kaum daß ich aus Aix heraus war, mein Gedankenspiel, einer unbestimmten Mehrzahl Reise-
empfehlungen zu geben (und ich war doch nur
einer nach vielen, die seit Beginn des Jahrhunderts
da unterwegs gewesen waren).
Auch der Gedanke, den Berg in Natur zu sehen,
war lange Zeit bloßes Spiel geblieben. War es
nicht eine fixe Idee, daß ein Ding, das einmal der
geliebte Gegenstand eines Malers gewesen war,
schon für sich etwas Besonderes darstellte? – Erst
als das Gedankenspiel eines Tages in die Phantasie
übersprang, stand der Entschluß fest (mit dem sofort auch ein Lustgefühl kam): Ja, ich werde die
Sainte-Victoire von der Nähe sehen! Und so ging
ich dann nicht so sehr Cézannes Motiven nach,
von denen ich überdies wußte, daß die meisten inzwischen verbaut sind, sondern meinem Gefühl:
es war der Berg, der mich anzog, wie noch nichts
im Leben mich angezogen hatte.
In Aix, unter den Platanen des Cours Mirabeau,

die oben zu einem geschlossenen Dach verwachsen sind, war es am Morgen geradezu düster gewesen. Das Ausgangstor der langen Allee, mit den weißen Fontänen des Springbrunnens, blendete im Hintergrund wie ein kleiner Spiegel. Erst an der Stadtgrenze zeigte sich rundum ein mildgraues Tageslicht.

Es war heiß und dunstig, aber ich ging in einer luftigen Wärme. Der Berg war noch nicht zu sehen. Die Straße verlief zunächst in Wellen und Kurven, und führte insgesamt leicht bergan. Sie war schmal, und der Gehsteig hatte schon vor dem Stadtrand aufgehört, so daß es beschwerlich werden konnte, den Autos auszuweichen. Aber nach einer guten Gehstunde, hinter Le Tholonet, wurde der Weg ziemlich frei.

Trotz dem Verkehr empfand ich Stille; so wie ich am Tag zuvor, mitten im Lärm von Paris, in der Straße, wo wir einmal gelebt hatten, Stille empfunden hatte. Ich hatte noch überlegt, mit jemand zusammen zu gehen; jetzt war ich froh, allein zu sein. Ich ging auf »der Straße«. Ich sah im schattigen Graben »den Bach«. Ich stand auf »der steinernen Brücke«. Da waren die Risse im Felsen. Da waren die Pinien und säumten einen Seitenweg; am Ende des Wegs groß das Schwarzweiß einer Elster.

Ich sog den Duft der Bäume ein und dachte: »Für immer.« Ich blieb stehen und schrieb auf: »Was gibt es für Möglichkeiten – in der Jetztzeit! Stille auf der Route de Cézanne.« Kurz lief ein Sommerregen vorbei, mit einzeln in der Sonne blinkenden Tropfen; nur die Straße erschien danach naß, die Asphaltsteinchen sehr bunt.

Es war für mich eine Zwischenzeit; ein Jahr ohne Ortsansässigkeit. Die Geschichte von dem Mann mit den gekreuzten Armen hatte ich vor allem in einem amerikanischen Hotelzimmer geschrieben, und ihre Grundfarbe war mit dem täglichen Blick auf einen kleinen See das Morgengrau dieses Wassers geworden (es kam mir dann vor, als hätte ich »unter der Erde gepflügt«). Auch durch den Verlauf der Erzählung war es entschieden, daß ich in mein Ausgangsland zurückkehren würde – obwohl mich immer wieder ein Satz des Philosophen beschäftigte: Andere zu entwurzeln, sei das ärgste der Verbrechen – sich selber zu entwurzeln, die größte Errungenschaft.
Bis Österreich blieben mir ein paar Monate Zeit. Inzwischen wohnte ich nirgends oder bei anderen. Vorfreude und Beengung wechselten einander ab.
Schon öfter hatte ich ja erfahren, wie ein ganz fremder Ort, auch ohne einen besonderen oder gar glückhaften Moment dort, im nachhinein immer wieder für Weite und Beruhigung sorgte. Ich drehe hier einen Wasserhahn auf, und vor mir er-

streckt sich ein breiter grauer Boulevard an der Porte de Clignancourt in Paris. So drängte es mich, nach einem Ausdruck von Ludwig Hohl, »heimzukehren in einem größeren Bogen« und einen Kreis in Europa zu ziehen.

Auch mein Held war dabei, wie schon für die vielen vor mir, der homerische Odysseus: Wie er hatte ich mich in eine (vorläufige) Sicherheit gebracht, indem ich sagen konnte, daß ich Niemand sei; und von der Hauptperson meiner Geschichte hatte ich mir einmal vorgestellt, daß sie, wie einst Odysseus von den Phäaken, im Schlaf im Herkunftsland abgeladen und dieses zunächst gar nicht wiedererkennen würde.

Tatsächlich dann auf Ithaka, verbrachte ich eine Nacht in einer Bucht, von der ein Weg in ein völlig dunkles Landesinnere führte. Ein Kind, dessen Weinen noch sehr lange zu hören ist, wird in die Dunkelheit getragen. Im Eukalyptuslaub brennen die Glühbirnen, und am Morgen dampft es von den betauten Holzplanken.

In Delphi, wo früher der Mittelpunkt der Welt angenommen wurde, flatterte es im Gras des Stadions weitum von den Schmetterlingen, die der Dichter Christian Wagner als »die erlösten Gedanken der heiligen Toten« gesehen hat. Doch vor der Sainte-Victoire, als ich auf der freien Stelle zwischen Aix und Le Tholonet in den Farben stand, dachte ich dann: »Ist nicht dort, wo ein großer Künstler gearbeitet hat, der Mittelpunkt der Welt – eher als an Orten wie Delphi?«

Die Hochebene des Philosophen

Der Berg wird schon vor Le Tholonet sichtbar. Er ist kahl und fast einfarbig; mehr ein Lichtglanz als eine Farbe. Manchmal kann man Wolkenlinien mit himmelhohen Bergen verwechseln: hier wirkt umgekehrt der schimmernde Berg auf den ersten Blick als eine Himmelserscheinung; wozu auch die wie vor keiner Zeit erst erstarrte Bewegung der parallel fallenden Felsflanken und der im Sockel horizontal weiterlaufenden Schichtfalten beiträgt. Dem Eindruck nach ist der Berg von oben, aus der fast gleichfarbenen Atmosphäre, nach unten geflossen und hat sich hier zu einem kleinen Weltraummassiv verdichtet.

Sonst ist an entfernten Flächen ja oft etwas Eigentümliches zu beobachten: diese Hintergründe, so formlos sie sind, verändern sich, sobald zum Beispiel auf der leeren Strecke davor ein Vogel aufflattert. Die Flächen entrücken, und nehmen andrerseits spürbar Gestalt an; und die Luft zwischen dem Auge und ihnen wird stofflich. Das zum Überdruß Bekannte, Ortsgebundene, auch durch die Vulgärnamen wie gegenstandslos Gewordene steht dann für einmal in der richtigen

Entfernung; als »mein Gegenstand«; mit seinem wirklichen Namen. Das galt hier, wo das geschrieben wird, nicht nur für jene schneeglänzende Hochfläche im fernen »Tennengebirge«, sondern auch für das »Ausflugscafé« an der Salzach, das sich einmal durch einen kreisenden Möwenschwarm als *Das Haus jenseits des Flusses* zeigte; so wie ein anderes Mal der »Kapuzinerberg«, mit einer einzelnen Schwalbe davor, unversehens seine Tiefen auftat und als neubegriffener *Hausberg* – immer offen, nie verhüllt – dastand.

Das große niederländische Reich des 17. Jahrhunderts hat den Bildertypus der »Weltlandschaften« kultiviert, die den Blick in eine Unendlichkeit entrücken sollten; und manche Reichsmaler haben zu diesem Zweck den Trick mit den im Mittelgrund schwebenden Vögeln verwendet. (»Und kein Vogel, der ihm die Landschaft rettete«, heißt es in einer Erzählung von Borges.) Aber kann nicht auch ein Autobus, der über eine Brücke fährt, mit den Silhouetten der Passagiere und den Fensterfassungen einen fernen Himmel näherrücken? Genügt nicht schon ein Baumbraun, und aus dem durchschimmernden Blau wird eine Form? – Die Sainte-Victoire, ohne Vogelschwarm (oder sonst etwas) dazwischen, stand gleich entrückt, und doch unmittelbar vor mir.

Erst nach Le Tholonet wird der Dreispitz als die

westoststreichende Kette sichtbar. Die Straße begleitet diese eine Zeitlang unten in der Ebene, ohne Wellen und Kurven, steigt dann in Serpentinen zu einer Kalkscholle an, die ein Plateau am Fuß des Steilabfalls bildet, und läuft darauf parallel neben dem in der Höhe gezogenen Gratkamm weiter.

Es war Mittag, als ich die Serpentinen hinanstieg; der Himmel tiefblau. Die Felswände bildeten eine stetige hellweiße Bahn bis hinten in den Horizont. Im roten Mergelsand eines ausgetrockneten Bachbetts die Abdrücke von Kinderfüßen. Kein Geräusch, nur die im weiten Umkreis gegen den Berg anschrillenden Zikaden. Aus einer Pinie tropfte Pech. Ich biß von einem frischgrünen Zapfen ab, der schon von einem Vogel angenagt war und nach Apfel roch. Die graue Rinde des Stamms war aufgebrochen im natürlichen Vieleckmuster, das ich, seit es sich einmal im getrockneten Schlamm eines Flußufers gezeigt hatte, überall wiederfand. Von einer dieser Schollen kam ein besonders nahes Geschrill; aber die zugehörige Zikade war so gleichgrau wie die Rinde, daß ich sie erst sah, als sie sich bewegte und rückwärts den Stamm hinabstieg. Die langen Flügel waren durchsichtig, mit schwarzen Verdickungen. Ich warf ein Holzstückchen nach ihr, und es waren dann zwei, die davonflogen, schreiend wie Geister, die man nicht ruhen ließ. Im Nachschauen wiederholte sich an der Bergwand, mit den in den Felsritzen wachsenden dunklen Büschen, das Muster der Zikadenflügel.

Oben, am Westrand der Hochfläche, liegt das Dorf St. Antonin. (Cézanne hat sich auch noch in seinen späten Jahren, wie er in einem Brief sagt, da »hinverirrt«.) Hier gibt es eine Gaststätte, wo man im Freien unter den Laubbäumen sitzen kann (»Relâche mardi«); das Akazienblattwerk verzweigt sich vor den durchschimmernden Bergwänden wie ein Spalier.

Das Plateau, auf dem die Departmentale 17 weiter ostwärts wie in ein unerforschtes Landesinnere bringt, wirkt unfruchtbar und ist auch fast unbewohnt. Die ganze elliptische Fläche verzeichnet St. Antonin-sur-Bayon, am Westrand, als das einzige Dorf. Der nächste Ort heißt Puyloubier und liegt zwei Wegstunden weg, schon außerhalb des Plateaus, am Abhang zum Allgemeinniveau der Basse Provence. Diese mächtige, horizontal über der Landschaft stehende Tafel nenne ich hier *Die Hochebene des Philosophen*.

Unschlüssig war ich zunächst ein bißchen auf der leeren Straße dahingegangen. (Es gab von dort keinen Bus zurück nach Aix.) Aber dann war es entschieden, den Weg bis Puyloubier fortzusetzen. Kein Auto auf der Strecke. Eine Stille, in der jedes kleine Geräusch sich wie ein gesprochenes Wort anhörte. Ein allgemeines leichtes Sausen. Ich ging, immer angesichts des Berges; blieb manchmal un-

willkürlich stehen. In einer trogförmigen Kamm-
scharte, wo der Himmel besonders blau war, sah
ich den idealen Paß. Die trockenen Hochwiesen
zogen sich bis zum Fuß der Felsflanken hin und
erschienen wie weißgebleicht von den Schnecken-
häusern, die in Scharen an den Stengeln klumpten.
Sie bildeten eine Fossilienlandschaft, der einmal
auch der Berg angehörte, indem er in einem Blick
wieder jäh seinen Ursprung, das monumentale
Korallenriff, zeigte. Es war Nachmittag, und die
Sonne kam von der Seite; von der anderen Seite
ein leichter Fallwind. Das im vergangenen Jahr
mit dem Pflug unter der Erde Geschriebene blühte
nun auf und strahlte ein machtvolles Licht aus.
Die Halme des Wegrands zogen vorbei in einem
majestätischen Flug. Ich ging bewußt langsam, im
Weiß des Berges. Was war? Nichts geschah. Und
es brauchte auch nichts zu geschehen. Befreit von
Erwartung war ich, und fern von jedem Rausch.
Das gleichmäßige Gehen war schon der Tanz. Der
ganz ausgedehnte Körper, der ich war, wurde von
den eigenen Schritten befördert wie von einer
Sänfte. Dieser gehend Tanzende war ich-zum-
Beispiel und drückte »die Daseinsform der Aus-
dehnung und die Idee dieser Daseinsform«, die gemäß dem Philosophen »ein und dasselbe Ding
sind, doch auf zweierlei Art ausgedrückt werden«,
in dieser vollkommenen Stunde *gleicherart* aus –
Regel des Spiels *und* Spiel der Regel, wie einst der

Gehende mit der flatternden Hose in Oberösterreich. Ja, da wußte ich auch selber, »wer ich bin«
– und fühlte als Folge ein noch unbestimmtes Soll.
Das Werk des Philosophen war ja eine Ethik gewesen.

Eine Photographie zeigt Cézanne, auf einen dik-
ken Stock gestützt, die Malwerkzeuge auf den
Rücken gebunden, mit der mythischen Legende:
»Aufbrechend zum Motiv«. In der Freude auf der
Hochfläche dahingehend, war ich aber mit keinem Aufbruch mehr beschäftigt, noch mit einem
Motiv – wußte ich doch, daß auch der Maler nie
einen besonderen »Vogelschwarm« gebraucht
hatte, um uns auf seinen Bildern das Reich der
Welt zusammenzuhalten. Seine einzigen Tiere,
und nur ganz am Anfang, sind die Köter, die bei
dämonischen Picknicks und Nacktszenen dabei-
hocken, und die man als gegen die Geistsehnsucht
gezogene Fratzen gedeutet hat.

Trotzdem war ich danach froh, in Puyloubier unter den Platanen eines provençalischen Dorfes zu
sitzen und in Gesellschaft Fremder ein Bier zu trin-
ken. Die Hausdächer vor der Berglinie wirkten be-
ruhigend. Eine sonnige Straße hieß *rue du Midi*.
Ein veteranenhafter alter Mann führte auf der Ca-
féterrasse uns anderen zärtlich seinen Wacholder-
stock vor und ließ mich an den Meister John Ford
denken. Zwei junge Frauen mit Rucksäcken und
Nagelschuhen, unterwegs zum Kamm, auf dem

sie westwärts wandern wollten, kamen frisch aus seinen alten Filmen.

Der Sprung des Wolfs

Puyloubier war aber auch der Ort, wo ich das Erlebnis mit »meinem« Hund hatte. Ich kann nicht weiter, ehe ich den nicht los bin.

Bei uns war nie ein Hund im Haus gewesen; nur einmal lief uns einer zu, an dem ich dann sehr hing. Als er in einem Sommer überfahren wurde, dauerte es ein paar Tage, bis wir ihn mit einem kleinen Leiterwagen in ein Nachbardorf zum Abdecker brachten. Das wurde eine längere Expedition, weil wir immer wieder vor dem Gestank wegrennen mußten und schließlich das Gefährt auf dem freien Feld stehenließen. (Es war das einzige Mal, daß ich als Kind etwas wie Verzweiflung spürte.) Später wurde ich in einer Stadt Zeuge, wie eine schwarze Dogge und ein ebensoschwarzer Dobermann von hinten und von vorn über einen weißen Pudel herfielen und ihn entzweirissen.

Einen unüberwindlichen Widerwillen gegen die meisten Hunde aber habe ich erst, seit ich viel zu Fuß gehe. Jetzt muß ich in jeder noch so freien Landschaft mit einer Bestie wie der von Puyloubier rechnen. Die Katzen lauern weltabgekehrt in den Wiesen; die Fische stieben in den Bächen dunkel auseinander; das Hornissengesurr ein bloßes Warngeräusch; die Schmetterlinge, immer wieder, »meine Toten«; die Libellen als Vor-Osterfarben; das Morgenmeer der Vögel, am Abend zurückgezogen in ein Schwirren unten im Farnkraut; die Schlangen eben Schlangen (oder leere Hauthüllen) – aber im Finstern der bewegungslos stehende Hund, der im Näherkommen ein Zaunpflock ist, und dann doch ein Hund. –

Außerhalb von Puyloubier steht eine Kaserne der Fremdenlegion. Auf dem Rückweg, für den ich einen kleinen Bogen um die Siedlung zog, kam ich daran vorbei. Das Gelände ist eine zubetonierte Fläche, ohne Baum oder Strauch, hoch mit Stacheldraht umgeben. Platz und Gebäude wirkten leer; die Soldaten schienen gerade ausgerückt.

Dennoch hörte ich dann ein metallisches Klirren, wie von einem Laufenden mit gezogener Waffe. Ein Grollen kam dazu, eher ein fernes Raunen im Luftraum, und fast zugleich empfand ich hautnah ein Gebrüll: den bösesten aller Laute, Todes- und Kriegsschrei zugleich, ohne Ansatz das Herz anspringend, das sich in der Phantasie kurz als Katze buckelte. Ende der Farben und Formen in der Landschaft: Nur noch ein Gebißweiß, und dahinter bläuliches Fleischpurpur.

Ja, vor mir, hinter dem Zaun, stand ein großer Hund – eine Doggenart –, in dem ich sofort meinen Feind wiedererkannte. Und schon kamen

auch die anderen von überall auf dem Hof herbei-
gelaufen, mit am Beton kratzenden Krallen; blieben aber im Abstand zu mir und dem ersten, der
in Haltung und Stimme der Leithund zu sein
schien.

Sein Körper wirkte bunt, während Kopf und Gesicht tiefschwarz waren. »Sieh dir das Böse an«,
dachte ich. Der Schädel des Hundes war breit und
erschien trotz der hängenden Lefzen verkürzt; die
Dreiecksohren gezückt wie kleine Dolche. Ich
suchte die Augen und traf auf ein Glimmen. In einer Brüllpause, während er um Atem rang, geschah nur das lautlose Tropfen von Geifer. Dafür
bellten die übrigen, was sich freilich eher tempera-
mentlos und rhetorisch anhörte. Sein Leib war
kurzhaarig, glatt und gelbgestromt; der After
markiert von einem papierbleichen Kreis; die
Rute fahnenlos. Als der böse Lärm wieder ein-
setzte, verschwand die Landschaft in einem einzigen Strudel aus Bombentrichtern und Granatlö-
chern.

Im Blick zurück auf den Hund sah ich, daß ich ge-
haßt wurde. – Doch zu sehen war auch die Qual
des Tiers, in dem sich gleichsam etwas Verdamm-
tes umtrieb. Es gab am ganzen Leib keinen Teil,
der ruhig halten konnte. Nur einmal, wie von mir
gelangweilt, hielt er ein, blinzelte heuchlerisch zur
Seite, spielte sogar gönnerisch mit seinen Kumpa-
nen (die er ebensogut hätte totbeißen können) –

und sprang im nächsten Moment filmreif den Zaun an, so hoch, daß ich tatsächlich zurückwich.

Danach stand er still drohend und las aufmerksam und lange in meinem Gesicht, doch einzig nach Zeichen der Angst und der Schwäche. Ich begriff: Er meinte gar nicht mich-im-besonderen, sondern sein Blutdurst war hier auf dem Territorium der Fremdenlegion, wo nur mehr das Kriegsrecht galt, auf jeden dressiert, der, unbewaffnet und ohne Uniform, *bloß war, der er war*. (Wenigstens einen müßte es doch geben, der unbewaffnet bliebe, schrieb diesbezüglich einmal solch ein bloßes Ich.) Er, der Wachhund, im Gelände; und ich im Gefilde (für das er naturgemäß keine Augen hatte, weil das Wirkliche für ihn einzig sein Sperrgebiet war); und der Stacheldraht zwischen uns, wie im alten Gedicht, wieder als *ewiger, vermaledeiter, kalter, schwerer Regen,* durch den hindurch ich, geistesgegenwärtig und tagträumend zugleich, den Feind betrachtete, wie er in seiner von dem Getto vielleicht noch verstärkten Mordlust jedes Rassenmerkmal verlor und nur noch im Volk der Henker das Prachtexemplar war.

Ein Weg mit dem Großvater fiel mir da ein, wo er mir gezeigt hatte, wie man sich beim Gehen im Freien die Hunde vom Leib hält: auch wenn kein Stein zur Hand war, bückte er sich wie nach einem, und jedesmal wichen die Tiere dann tatsächlich zurück. Einem warf er sogar einmal Erde ins Maul; und der Hund schluckte sie und ließ uns vorbei.

Ähnliches versuchte ich mit der Dogge von Puyloubier, die darauf aber nur aus einem vervielfachten Maul zurückbrüllte. Beim Bücken war mir eine gelbe Pariser Métrofahrkarte, gebraucht und auf der Rückseite mit Notizen bedeckt, aus dem Rock gefallen: diese warf ich jetzt, in einem Moment des Übermuts, durch den Zaun – und der Hund verwandelte sich auf der Stelle in einen Marder, die bekanntlich Allesfresser sind, und schlang mein Papier hinunter: die Gier und zugleich die Unlust in Person.

Im Phantasiebild fielen sofort die Würmer, die in seinem Innern von ihm lebten, in einem finsteren Nachgetümmel über den Fahrschein her – und schon schied die Dogge auch tatsächlich ein verdrehtes, wie ihre Dolchohren spitzes Türmchen aus; worauf ich erst bemerkte, daß sie rundum auf dem Beton mit vergleichbaren, vertrockneten und ausgebleichten Gebilden, die auch in Häufen gesammelt erschienen (insgesamt eine großspurige Krakelschrift), sich sozusagen einen öffentlichen Machtbereich abgesteckt hatte.

Undenkbar, vor solch bewußtlosem Willen zum Bösen, ein gutes Zureden (überhaupt jedes Reden); so hockte ich mich entschlossen hin, und die Dogge der Fremdenlegion verstummte. (Es war eher ein bloßes Stutzen.) Dann kamen unsere Gesichter einander ganz nah und verschwanden wie in einer gemeinsamen Wolke. Der Blick des Hundes verlor sein Glimmen, und der dunkle Kopf nahm ein zusätzliches Florschwarz an. Unsere Augen trafen sich – jedoch nur ein einzelnes Auge das andere: einäugig, sah ich ihm in das eine Auge; und dann wußten wir voneinander, wer wir waren, und konnten nur noch auf ewig Todfeinde sein; und zugleich erkannte ich, daß das Tier schon seit langem wahnsinnig war.

Der nächste Laut des Hundes war kein Gebell, sondern ein inständiges Hecheln, das immer heftiger wurde und schließlich wie das Geräusch von ihm gerade anwachsenden Flügeln war, mit denen er gleich über den Zaun setzen würde; begleitet von einem allgemeinen Geheul der Meute, das nicht mehr mir allein galt, sondern dem Weiß der Bergkette dahinter, oder allem jenseits des Tierbereichs: ja, jetzt trachtete er mir nach dem Leben; und auch ich wollte mit einem Machtwort ihn tot und weg haben.

Sprachlos vor Haß verließ ich das Terrain; und zugleich schuldbewußt: »Für das, was ich vorhabe, darf ich nicht hassen.« Vergessen die Dankbarkeit über den bisherigen Weg; die Schönheit des Berges wurde nichtig; nur noch das Böse war wirklich.

Stumm, wie ich war, fiel mir auch das Gehen sehr

schwer. Der Feind zuckte in mir weiter und stank dann schon. In der Natur nichts Erkennbares, vor allem nichts Benennbares mehr – und für mein fassungsloses, gleichsam kriegsmäßiges Starren fällt mir jetzt das in Frankreich gebräuchliche deutsche Lehnwort »Was-ist-das« ein: es soll von den preußischen Besatzern 1871 stammen, und bezeichnet die den Eindringlingen damals wohl ganz fremden Oberlichtfenster in manchen Pariser Dachwohnungen.

Außerhalb von Puyloubier, schon Richtung westwärts, setzte ich mich in einen grasbewachsenen Hohlweg, der durch einen Weinberg führte, und ließ mich von der Sonne bescheinen. Wohl auch müde von dem vielen Gehen, schlief ich kurz ein. Ich träumte von dem Hund, der sich in ein Schwein verwandelte. So, hell, fest und rundlich, war er keine Spottgeburt eines Menschen mehr, sondern ein Tier, wie es sein sollte; und ich gewann es lieb und tätschelte es – erwachte jedoch unversöhnt, und, nach dem Worte des Philosophen, »durch erkennende Orgien gereinigt für die heilig seienden Werke«.

Am noch taghellen Himmel ging der Mond auf. Ich konnte mir darauf das »Meer des Schweigens« vorstellen, und Flauberts »Besänftigung« zog in mein Herz. Im lehmigen Hohlweg roch es erfrischend nach Regen. Neu sah ich das Weiß einer Birke. Alle Zeilen im Weinberg waren unbestimmt weiterführende Wege. Die Rebstöcke standen als Leuchter der Ruhe; der Mond als altes Zeichen der Phantasie.

Ich ging mit der letzten Sonne, im belebenden Gegenwind; das Blau des Berges, das Braun der Wälder und das Karminrot der Mergelböschungen als meine Farbenbahnen. Zwischendurch lief ich auch. Einmal, auf der Brücke über eine kleine Schlucht, tat ich sogar einen Sprung, ziemlich hoch und weit, stieß ein schurkisches Lachen aus und gab der Stelle den Namen *Sprung des Wolfs* (»saut du loup«); und ging dann ruhig weiter, nur noch in der Vorfreude auf Speisen und Wein in Aix.

Als ich spätabends dort ankam, sah ich auf den Kopfsteinresten des Cours Mirabeau Krebse steigen, und einen blauen Luftballon im Nachtwind als Zigarettenrauch, und dachte in der Müdigkeit nicht viel mehr als »Langer-Tag-Blues«.

Der Maulbeerenweg

Ich blieb noch ein paar Tage in der Provence. Manchmal, zu viel allein, verlor ich den Humor, und die Farben blichen aus: Fahlheit und Unförmigkeit (immer wieder beim Abwärtsgehen). Eines Nachts kam ein Mann quer über die Straße auf mich zu und sagte: »Ich töte dich.« Ich schaute auf seine Hände, die leer waren. »Nein, nicht mit dem Messer.« Es gelang mir, seinen Blick zu finden, und wir gingen einen kurzen Weg als falsche Kumpane.

In Cézannes Atelier, am *Chemin des Lauves,* waren seine Dinge zu Reliquien geworden. Neben den verschrumpelten Früchten auf der Fensterbank hing der dicke schwarze Rock meines Großvaters, sorgfältig über dem Bügel. Im Café am Cours Mirabeau traf ich die *Kartenspieler*; sie hatten ihr Spieltuch über den Tisch gebreitet und waren anders als auf den Bildern: rotwangig, gesprächig, kaum je im Spiel innehaltend, und doch genauso (mit stetig aufs Blatt gesenkten Lidern). Ich saß daneben, las Balzacs Erzählung *Le chef-d'œuvre inconnu* von dem scheiternden Maler Frenhofer, in dessen Verlangen nach dem vollkommenen-wirklichen Bild Cézanne sich wiedererkannte, und entdeckte, wie das Französische (als Kultur) mir eine – doch immer wieder entbehrte – zuständige Heimat geworden war. Der *Jas de Bouffan* (»das Haus des Windes«), einmal der Landsitz der Familie, auch ein Arbeitsplatz und Motiv des Malers, grenzt inzwischen an die Autobahn nach Marseille; dahinter ein Neubaubezirk des gleichen Namens. »Réussir votre isolation«, steht dort auf einer Reklametafel für Hausabdichtung. Aber das »Omniprix« eines Supermarkts las ich dann als das *Omnipotens* aus einem Brief Cézannes.

Einmal verirrte ich mich draußen in der Macchia und fand mich jäh vor einem Stausee, der blau und leer, mit heftigen Wellen, über die gerade ein Schwarm verwelkter Blätter hinflog, wie ein nördlicher Fjord tief unten lag. Ein Windstoß schlug in einen Baum ein wie eine Bombe, und ein Macchiabusch glänzte wie von wimmelnden Ameisen. Trotzdem empfand ich mich immer wieder von der Schönheit umgeben, so heftig, daß ich meinerseits jemanden umarmen wollte.

Am letzten Tag endlich war es beschlossen, auf den Berg zu steigen, den ich bis dahin nur unten umkreist hatte. Der Ausgangspunkt war *Vauvenargues,* ein Taldorf in der Nordsynklinale zu dem Bergkamm, wo der Philosoph dieses Namens die Bemerkung gemacht hat: »Erst die Leidenschaften haben den Menschen die Vernunft beigebracht.«

Der Weg zum Kamm, wo die verlassene Mönchskapelle steht, war lang, aber nicht beschwerlich. (Ich hatte mir gegen den Durst Äpfel eingesteckt.) Oben saß ich bei starkem Wind in der Felsbresche, die ich von unten als den »idealen Paß« gesehen hatte, sah weit im Süden das Meer, nördlich den grauen Rücken des Mont Ventoux, und im Nordosten, ganz hinten, die Gipfelflur der Alpen: »wirklich ganz weiß« (wie jemand einmal die weißen Hyazinthen genannt hat). Der einstige *Garten der Mönche* war zum Schutz gegen den Wind wie eine Doline tief in den Fels eingelassen; in der Höhe darüber das Sausen von Schwalbenflügeln (das dann beim Rückweg mit einem Spinnennetzschaukeln unbestimmt wiederkehrte). Weiter oben am Kamm, kaum unterschieden von den Felsblöcken, eine winzige steinerne Militärhütte, mit zwei gebückt aus- und eingehenden Soldaten als Posten, und einem weithin krachenden Sprechfunkgerät.

Es war aber nicht erst die Kriegseinrichtung, die die Bergeshöhe so unwirklich machte, oder der nah vor Augen eher stumpfgraue Kalkstein. Es gab kein Gipfelerlebnis; – und ein berühmter Bergsteiger fiel mir ein, der, für seine Ekstase auf dem höchsten Punkt der Erde, dann im Buch dazu die Wahrnehmungen eines anderen (keines Bergsteigers) verwendete, die dieser beim Dahingehen in fast ebenen Vorstadtstraßen notiert hatte, kaum hundert Meter über dem Meer. So stieg ich bald westwärts ab und freute mich auf die Hochflächen, Täler und die provençalischen Straßen, an denen Cézanne einmal lobte, daß es Römerstraßen seien: »Die Wege der Römer sind immer bewundernswert angelegt. Sie hatten einen Sinn für die Landschaft. Von allen Punkten gibt es ein Bild.« (Auch ein Grund, eher auf befahrenen Straßen zu gehen, als abgedrängt auf den sogenannten Wanderwegen.)

Als ich mich dann von der ersten Hochfläche nach

dem Berg umschaute, glänzten seine Flanken schon wieder festlich (eine Stelle leuchtete geradezu, wie von einer Marmorader); und beim nächsten Blick zurück, tief unten in einem Pinienwald, schien seine Helligkeit durch die Baumspitzen wie ein dort hängendes Brautkleid. Im Weitergehen warf ich einen Apfel auf, der sich in der Luft drehte und meinen Pfad mit dem Wald und den Felsen verband.

Von jenem Weg leite ich auch das Recht ab, eine »Lehre der Sainte-Victoire« zu schreiben.
Ich war ja im Reich des großen Malers von Tag zu Tag unsichtbarer geworden – wie mir selber so auch den anderen; und die fremde Gesellschaft half, indem sie mich freundlich übersah. Es war mit der Zeit, als könnte ich von Fall zu Fall sogar bestimmen, »der Unsichtbare« zu sein. Nicht etwa verschwunden oder aufgegangen in der Landschaft kam ich mir vor, sondern in deren Gegenständen (den Gegenständen Cézannes) gut verborgen.
Sollte es nicht seit je so sein, und gab es nicht schon in der Kindheit etwas, das für mich, wie später L'Estaque der *Ort,* das *Ding* der Verborgenheit war? Cézanne hat mit diesem Ding nichts zu tun (wohl aber ein anderer Maler). Es ist mir bedeutungsvoll geworden durch eine Heiligenlegende (in der es überhaupt nicht erwähnt wird).

Das Ding ist ein »Holzstoß«; die Legende ist die Geschichte vom heiligen Alexius unter der Stiege; und »der andere Maler« ist ein im Elend gestorbener, heute berühmter georgischer Bauernmaler aus der Zeit des letzten Zaren, mit Namen Pirosmani. – Ein Zusammenhang ist da, nicht erklärbar, doch zu erzählen.

Im Großelternhaus gab es eine hölzerne Stiege, unter der sich eine fensterlose Kammer befand. In diesem Raum »unter der Stiege« lag damals für mich der heilige Alexius, unerkannt aus der Fremde zurückgekehrt, in triumphalen Schauern der Verborgenheit (die meine eigenen waren). – An anderen Gebäuden des Dorfes sah ich dann außen ähnliche Stiegen, darunter die Bretterverschläge für die Arbeitsgeräte, oder eben die dichtgeschichteten Holzstöße. – Viel später kam eine Phantasie, daß meine Vorfahren, von denen ich doch fast nichts wußte, aus »Georgien« stammten; und wie ich auf Cape Cod an der Küste Neu-Englands das Haus für den Mann der noch zu schreibenden Geschichte gefunden hatte, so hoffte ich nun, im Osten etwas von seinem Ursprung zu erfahren – und mein Anhaltspunkt wurden dabei die Bilder Pirosmanis, die immer auch dessen eigenes Leben miterzählten: der georgische Maler war viel im Land herumgezogen, hatte seinen Unterhalt vor allem mit dem Anfertigen von Wirtshausschildern verdient und die letzte Zeit seines

Lebens »unerkannt« in einem Holzverschlag verbracht, der sich in meiner Vorstellung »unter einer Stiege« befindet... – Und (sich schließender Kreis?) ein Wunschbild von mir, als dem Schriftsteller, wurde es dann einmal, mit meinem Geschriebenen für jemand anderen (der auch immer wieder ich selber sein konnte) ein Bohlenweg zu sein, oder eben ein heller, gleichmäßiger, dichtgefügter »Holzstoß«.

Das »Recht zu schreiben« – für jede Arbeit neu benötigt – kündigte sich auf jenem Abstieg von der Sainte-Victoire schon an, als es mir einmal gelang, mich selber zu kritisieren (statt daß ich, wie üblich beim Abwärtsgehen, in mich selber versank und humorlos wurde). Vor einem schimmernden Wiesenstück, wo ich sofort »Paradiesgarten« dachte und mir sogar die Maulwurfshügel zunächst »wie in Fernbläue« erschienen, stellte ich mich selber zur Rede: »Denk nicht immer Himmelsvergleiche bei der Schönheit – sondern sieh die Erde. Sprich von der Erde, oder bloß von dem Fleck hier. *Nenn* ihn, mit seinen Farben.«

Ich ging dann bewußt langsam weiter, fast immer mit gesenktem Kopf, jede gesuchte Ferne vermeidend. – In der Dämmerung blickte ich, nur aus den Augenwinkeln, in einen Seitenweg hinein. – Ich weiß jetzt nicht mehr, ob ich überhaupt stehengeblieben bin; ich bin wohl ohne anzuhalten weiter; doch im Zustand der Ruhe und Freude;

neu durchdrungen von meinem guten Recht, zu schreiben; neu überzeugt von Schrift und Erzählung.

Warum sage ich: *Recht,* zu schreiben? – Es kam da zu dem Augenblick unbestimmter Liebe, ohne den es rechtens kein Schreiben gibt. – In der Tiefe des Seitenwegs sah ich nämlich einen Maulbeerbaum (eigentlich nur die rötlichen Fruchtsaftflekken im hellen Wegstaub) in frischer, leuchtender Einheit mit dem Saftrot der Maulbeeren vom Sommer 1971 in Jugoslawien, wo ich mir erstmals eine vernünftige Freude hatte denken können; und etwas, der Anblick?, meine Augen?, dunkelte – wobei zugleich jede Einzelheit rund und klar erschien; dazu ein Schweigen, mit dem das gewöhnliche Ich rein Niemand wurde und ich, mit einem Ruck der Verwandlung, mehr als bloß unsichtbar: *der Schriftsteller.*

Ja: dieser dämmernde Seitenweg gehörte jetzt mir und wurde nennbar. Mit den Maulbeerenflecken im Staub vereinte der Augenblick der Phantasie (in dem allein ich ganz und mir wirklich bin und die Wahrheit weiß) nicht bloß die eigenen Lebensbruchstücke in Unschuld, sondern eröffnete mir auch neu meine Verwandtschaft mit anderen, unbekannten Leben, und wirkte so als unbestimmte Liebe, mit der Lust, diese, in einer treuestiftenden Form!, weiterzugeben, als berechtigten Vorschlag, für den Zusammenhalt meines nie bestimmbaren, verborgenen Volkes, als unsere gemeinsame Daseinsform: erleichternder, erheiternder, verwegener Sollensmoment des Schreibens; bei dem ich ruhig wurde wie »bei der Idee eines Schiffs«. – Doch gleich kam auch wieder die übliche Qual, oder Quälerei (die freilich ein Gegenteil ist von Verzweiflung): »Aber was ist die Form? Was hat der Unschuldige, der ich hier bin (nicht gut fühle ich mich, nur eben schuldlos), überhaupt zu erzählen? Und wer ist der Held einer solchen Erzählung?« (Denn wer sonst, unbestimmbare Leser, als der Gegenstand eines Bildes oder der Held einer Geschichte hat euch je im Leben einen Vorschlag gemacht?)

Ein Auto hielt, ein kleiner stiller Hund auf dem Rücksitz, und nahm mich mit in die Stadt, wo ich mit einem heißen Entschluß ankam; jener entstofflichten und doch materiellen Sprache auf der Spur, mit der ich hoffte, von der noch ausständigen Rückkehr des Mannes mit den gekreuzten Armen weiterzuerzählen. Nein, es war nicht die Qual; es war die Arbeit.

Das Bild der Bilder

Bisher handelte es sich hier vor allem um einen Maler und einen Schriftsteller; um Bild und Schrift. Jetzt aber wird es fällig, zu erzählen, wie

der Maler Paul Cézanne mir als ein Menschheitslehrer – ich wage das Wort: als der Menschheitslehrer der Jetztzeit erschien.

Stifter gab das ewige Gesetz der Kunst bekanntlich so wieder: »Das Wehen der Luft das Rieseln
des Wassers das Wachsen der Getreide das Wogen
des Meeres das Grünen der Erde das Glänzen des
Himmels das Schimmern der Gestirne halte ich für
groß... Wir wollen das sanfte Gesetz zu erblicken
suchen, wodurch das menschliche Geschlecht ge-
leitet wird.« Dabei ist es dann aber auffällig, daß
Stifters Erzählungen fast regelmäßig zu Katastro-
phen ausarten; ja daß oft schon der bloße Stand
der Dinge, ohne dramatische Überstürzung, eine
Bedrohung wird. »Ruhig und heimlich« fällt zunächst der Schnee, eine »schöne weiße Hülle«,
und wird dann den Kindern, die sich hinauf in die
erst »schön«, dann »schreckhaft blauen« Glet-
scher verirren, zur »weißen Finsternis«; und jener
»glänzende Himmel« über dem Heidedorf bleibt
wochenlang ein glänzender und macht die »wei-
che blaue Luft« schließlich zum »blanken Felsen«.
Für diese Wende der Dinge zum Unheimlichen
sind Erklärungen in der Person des Verfassers ge-
sucht und gefunden worden. Doch ist das sanft
über eine Wiese rieselnde Wasser wohl auch durch
das zeitverordnete Erzählen mit den lebensgefährlichen Gruben ausgestattet worden – in die zudem
niemand endgültig einsinkt, so daß der erste Satz

aus *Kalkstein* gut auch alle anderen bunten Steine bezeichnet: »Ich erzähle hier eine Geschichte, die uns einmal ein Freund erzählt hat, in der nichts Ungewöhnliches vorkömmt, und die ich doch nicht habe vergessen können.« (Stifter, als Maler, hat auf seinen Gemälden nie eine Katastrophe geschildert; höchstens stellt eine Zeichnung einen Windbruch dar.) Im Pariser Jeu de Paume hängt ein Bild von Cézanne, vor dem ich dann zu verstehen glaubte, worum es geht, nicht nur ihm, dem Maler, und nicht nur jetzt mir, einem Schriftsteller.

Es ist in seinen letzten Lebensjahren, schon nach der Jahrhundertwende, gemalt, und sein Motiv sind, wie schon oft zuvor, Felsblöcke und Kiefern. Im Bildtitel sind auch Ort und Stelle benannt: *Rochers près des grottes au-dessus de Château-Noir.* (Das ist ein altes Herrschaftshaus oberhalb des Dorfs Le Tholonet).

Schwer zu sagen, was ich da verstand. Damals hatte ich vor allem das Gefühl »Nähe«. Im Bedürfnis, das Erlebte doch weiterzugeben, kommt mir jetzt, nach langem »Bedenken des Gesehenen« (eher ein Denksturm), ein Filmbild in den Sinn: Henry Fonda, wie er in John Fords *Die Früchte des Zorns* mit der eigenen Mutter tanzt.

In jener Szene tanzen alle Anwesenden miteinander, zur Abwehr einer lebensgefährlichen Bedrohung: so verteidigen sie, von der Landnot Umgetriebene, das Stückchen Erde, auf dem sie endlich eine Bleibe gefunden haben, gegen die sie umzingelnden Feinde. Obwohl das Tanzen demnach eine pure List ist (Mutter und Sohn, sich rundum drehend, werfen einander, wie auch den übrigen, schlaue wachsame Blicke zu), ist es doch ein Tanz wie nur je einer (und wie noch keiner), der überspringt als ein herzlicher Zusammenhalt.

Gefahr, Tanz, Zusammenhalt, Herzlichkeit – das machte auch mein Nähegefühl vor dem Bild aus: Unvermittelt groß standen nämlich die Kiefern und Felsen in meinem Innersten – so wie ein aufschwirrender Vogel momentlang mit riesigen Schwingen den Körper durchfliegt; verflüchtigten sich aber nicht, wie solch ein Schrecken, sondern blieben. Ja, das Nähegefühl war auch eine Erkenntnis: es war da, im Jahr 1904, zur Zeit der Entstehung des Bildes, etwas Unwiderrufliches geschehen, als Weltgeschehen; und das Weltgeschehen war dieses Bild selber.

Cézanne, einmal gebeten zu beschreiben, was er unter »Motiv« verstünde, führte »sehr langsam« die gespreizten Finger beider Hände gegeneinander, faltete sie und verschränkte sie. Als ich davon las, erinnerte ich mich wieder, daß ich beim Anblick des Bildes die Kiefern und Felsblöcke als verschlungene Schriftzeichen gesehen hatte, so eindeutig wie unbestimmbar. – In einem Brief Cézannes las ich weiter, er male keinesfalls »nach der Natur« – seine Bilder seien vielmehr »Konstruktionen und Harmonien parallel zur Natur«. – Und dann verstand ich, durch die Praxis der Leinwand: die Dinge, die Kiefern und die Felsen, hatten sich in jenem historischen Moment auf der reinen Fläche – nicht mehr rückgängig zu machendes Ende der Raumillusion –, aber in ihren dem Ort und der Stelle (»au-dessus de Château-Noir«) verpflichteten Farben und Formen!, zu einer zusammenhängenden, in der Menschheitsgeschichte einmaligen Bilderschrift verschränkt.

Ding-Bild-Schrift in einem: es ist das Unerhörte – und gibt trotzdem noch nicht mein ganzes Nahgefühl weiter. – Hierher gehört nun jene einzelne Zimmerpflanze, die ich einmal durch ein Fenster vor der Landschaft als chinesisches Schriftzeichen erblickte: Cézannes Felsen und Bäume waren mehr als solche Schriftzeichen; mehr als reine Formen ohne Erdenspur – sie waren zusätzlich, von dem dramatischen *Strich* (und dem Gestrichel) der Malerhand, ineinandergefügt zu Beschwörungen – und erscheinen mir, der ich davor anfangs nur denken konnte: »So nah!«, jetzt verbunden mit den frühesten Höhlenzeichnungen. – Es waren die *Dinge*; es waren die *Bilder*; es war die *Schrift*; es war der *Strich* – und es war das alles im Einklang.

In einigen hundert Jahren werde alles verflacht sein, hatte der Maler schon aus L'Estaque geschrieben, und hinzugesetzt: »Doch das Wenige, das bleibt, ist dem Herzen und dem Blick doch noch recht teuer.« Und zur Zeit der Fels-und-Baum-Bilder, dreißig Jahre später, sagte er: »Es steht schlecht. Man muß sich beeilen, wenn man noch etwas sehen will. Alles verschwindet.«

Ist alles verschwunden? Konnte ich damals im Jeu de Paume nicht spüren, daß Cézannes gewaltiger, in der Menschheitsgeschichte nur einmal möglicher Ding-Bild-Schrift-Strich-Tanz unsereinem machtvoll und dauernd das Reich der Welt offenhält? Habe ich die Kiefern und Felsen nicht als das Bild der Bilder erlebt, vor dem sich immer noch »das gute Ich« aufrichten konnte? Wie auch vor anderem im Umkreis? Und wie auch an anderen Orten? Habe ich nicht schon die Stilleben an der Wand gegenüber als gut umsorgte »Kinder« gesehen?

Das Jeu de Paume ist ein ziemlich ordinäres Museum – aber diese von lieben Dingen leuchtende Wand ist etwas *Beispielschönes* (und zudem geht der Blick durch das Fenster hinaus auf die Place Concorde, die für Cézanne »der einzige Platz« war). Die Birnen, Pfirsiche, Äpfel und Zwiebeln, die Vasen, Schalen und Flaschen erscheinen, auch durch die leichten Verrückungen und schiefen Ebenen, wie Märchendinge, die gleich zu leben anfangen werden, und doch ist es sichtlich der Moment vor dem Erdbeben: als seien diese Dinge die letzten.

Vergleichbar dann die Wand in einem Museum der Schweiz. Dort hängen in einer Reihe drei große Porträts: der Maler selber, seine Frau, und der Knabe mit der roten Weste. Diese Leute ohne Eigennamen schauen wie aus den drei Fenstern eines Zugs, der steht und durch die Zeiten fährt. Die drei fahren schon lange. Die Fahrt ist noch lange nicht zu Ende. Nur das Kind scheint müde, den Kopf in die Hand gestützt; die beiden Erwachsenen sind aufgerichtet, so ausdruckslos wie geistesgegenwärtig – und ihre Wand bildet jetzt eine Kreuzung mit der Stillebenwand des Jeu de Paume: der Zug mit den drei Leuten in Zürich hält an der Früchtestraße in Paris.

Sind Cézannes Werke demnach Botschaften? Für mich sind es Vorschläge. (Die Gesichte van Goghs nannte Ludwig Hohl »auch sagbar«; die Cézannes seien »nur malbar«.) Was schlagen sie mir vor? Daß sie überhaupt als Vorschläge wirken, ist ihr Geheimnis.

Denn es ist offensichtlich: Fast alles ist verschwunden. In einem Haufen von Früchten genügt das Stumpfgelb der einen gewachsten Orange, und ich kann mir nichts weiter vorstellen. Wo ist die Farbe, die noch aus der Substanz des Dings selber kommt? Welches jetzige Ding ist ein *Augenstoff*? Dafür suche ich um so bedürftiger eine unberührte Natur. Das kann immer wieder die Erhabenheit sein, bringt aber auch immer wieder das Grauen vor einem Horizont, der mich verschlingen wird. So vertiefe ich mich, im Bedürfnis nach Dauer, willentlich in die alltäglichen, gemachten Dinge. Habe ich in dem Graublau des Asphalts nicht gerade einen Buchenhain widerscheinen sehen? Hat nicht das Gedröhn des Abendflugzeugs manchmal einen Tag neu anfangen lassen? Ist der Blechstern am Pullover des Kindes nicht ein bewährtes Ding? Und flattern die endlich von den Zeitungen erleichterten Plastiktaschen in der Sonne nicht wie helle Faltenröcke? – Ja, aber das ist nicht die Alltäglichkeit. Die Klage wird möglich: die Alltäglichkeit ist böse geworden. Es gibt nur die episodische, traurige Schönheit um die gemachten Dinge, die nichts verläßlich Wiederkehrendes ist und also unwirklich bleibt. (Gewiß, nach Aix habe ich einmal am roten Kunststoffboden des Flughafens von Marseille einen Schimmer des Mergels von der Sainte-Victoire gesehen...) Wohl also dem, den zu Hause ein Augenpaar erwartet!

Zwei Dorfalte hörte ich hier einmal sagen: »Wenn sie nichts glauben – zu was sind die denn überhaupt da?« Ohne gemeint zu sein, fühlte ich mich doch betroffen. Beschäftigte mich denn nicht schon länger der Gedanke, »nur mit einem Glauben könnten die Dinge auch auf die Dauer wirklich bleiben?« Was war dieses Geheimnis des Glaubens, das die Dorfrichter zu kennen schienen? Ich hätte mich nie als gläubig bezeichnen können, das Kind von einst noch weniger als mich jetzt: aber hatte es nicht schon ganz früh ein Bild der Bilder für mich gegeben?

Ich will es beschreiben, denn es gehört hierher. Dieses Bild war ein Ding, in einem bestimmten Behältnis, in einem großen Raum. Der Raum war die Pfarrkirche, das Ding war der Kelch mit den weißen Oblaten, die geweiht Hostien heißen, und sein Behältnis war der in den Altar eingelassene, wie eine Drehtür zu öffnende und zu schließende vergoldete Tabernakel. – Dieses sogenannte »Allerheiligste« war mir seinerzeit das *Allerwirklichste*.

Das Wirkliche hatte auch seinen wiederkehrenden Augenblick: sooft nämlich die durch die Worte der Wandlung sozusagen Gottes Leib gewordenen Brotpartikel mitsamt ihrem Kelch im Tabernakel geborgen wurden. Der Tabernakel drehte sich auf; das Ding, der Kelch, wurde, schon unter Tüchern, in die Farbenpracht seiner Stoffhöhle gestellt; der Tabernakel drehte sich wieder zu – und jetzt der strahlende Goldglanz der verschlossenen konkaven Wölbung.

Und so sehe ich jetzt auch Cézannes »Verwirklichungen« (nur daß ich mich davor aufrichte, statt niederzuknien): Verwandlung und Bergung der Dinge in Gefahr – nicht in einer religiösen Zeremonie, sondern in der Glaubensform, die des Malers Geheimnis war.

Das kalte Feld

Zum Unterschied von den Pariser Straßen, die mir immer wieder als unverhoffte Weiterungen erscheinen, auch wenn ich in einer nur kurz gegangen bin, hat sich mir seit damals das Massiv der Sainte-Victoire noch kein einziges Mal in der Phantasie gezeigt. Dafür kehrt der Berg aber in der Analogie von Farben und Formen fast alltäglich wieder. Unscheinbare Anstiege können zu freien Gipfelpunkten und abenteuerlichen Hochebenen führen; und auch ohne spezielle Wissenschaft glaube ich dann, die Gegend um mich zu verstehen.

Die Nachwirkung des Berges geht über eine luftige Naturkunde freilich weit hinaus.

Es gibt einen Pariser Hügel, den man, anders als den Montmartre, kaum wahrnimmt. Er liegt am Westrand der Stadt, gehört eigentlich schon zum Vorort Suresnes und heißt *Mont Valérien*. Kaum als besondere Erhebung zu erkennen in der Hügelkette, die westlich an der Seine entlangzieht, ist der Mont Valérien befestigt mit einem Fort, das im zweiten Weltkrieg von den deutschen Besatzern als große Hinrichtungsstätte benutzt wurde.

Ich war nie oben gewesen, aber nach der Sainte-Victoire drängte es mich hinauf; und an einem schönen Sommersonntag sah ich da einen Stein-

friedhof gegen den blauen Himmel als helle To-
tenstadt; pflückte Brombeeren, die hart und süß
waren; und erfuhr mit dem Blick auf die mit vielen
kleinen Häusern bebauten Hügelausläufer, wo
hier und da ein Hund bellte und vereinzelt der
Rauch aufstieg, nichts als die gespensterlose Gegenwart. Langsam ging ich wieder ostwärts bergab, über die Flußbrücke zurück ins Stadtgebiet,
und bestieg im Park des Bois de Boulogne gleich
eine zweite, kaum merkliche Erhebung, die, eben-
falls vom Krieg her, *Mont des Fusillés* heißt und
an den Baumstämmen noch Kugelspuren zeigt
(unter denen jetzt, wie überall, die Sonntagsaus-
flügler lagerten); und an jenem Nachmittag war es
das einzige Mal, daß mir bei Cézanne, dessen Bilder doch oft mit Musik verglichen worden sind,
auch etwas Derartiges in den Sinn kam: als ich
nämlich die Gegenwart, um sie zu erhalten, schüt-
teln wollte »wie eine Marimba«.
Am Abend schaute ich dann von einer Straßen-
brücke am Stadtrand auf die Peripherie-Autobahn
hinunter, die sich in beweglichen Goldfarben
zeigte; und es kommt mir auch hier noch vernünf-
tig vor, was ich damals dachte: daß jemand wie
Goethe mich beneiden müßte, weil ich jetzt, am
Ende des 20. Jahrhunderts, lebte.

Die Kreise um die Sainte-Victoire wurden immer
weiter, ungewollt; es ergab sich so.

Mein Stiefvater ist aus Deutschland. Seine Eltern kamen vor dem ersten Weltkrieg von Schlesien nach Berlin. Auch mein Vater ist Deutscher; er stammt aus dem Harz (wo ich noch nie war). Alle Vorfahren meiner Mutter dagegen waren Slowenen. Mein Großvater hatte 1920 für den Anschluß des südösterreichischen Gebiets an das neugegründete Jugoslawien gestimmt und wurde dafür von den Deutschsprachigen mit dem Erschlagen bedroht. (Die Großmutter warf sich dazwischen; Ort der Handlung: »Die Ackerwende«; slowenisch: »ozara«.) Später hat er zu den öffentlichen Ereignissen fast nur noch geschwiegen. – Meine Mutter spielte als Mädchen in einer slowenischen Laientheatergruppe mit. Sie war später immer stolz, die Sprache zu sprechen; ihr Slowenisch half auch uns allen, nach dem Krieg, in dem russisch besetzten Berlin. Sie konnte sich freilich nie als Slowenin fühlen. Man hat gesagt, es mangle diesem Volk überhaupt am nationalen Selbstbewußtsein, weil es, anders als die Serben oder Kroaten, sein Land nie in einem Krieg verteidigen mußte; so sind sogar die gemeinsamen Lieder oft traurig nach innen gekehrt. – Auch meine Anfangssprache soll das Slowenisch gewesen sein. Der Friseur des Ortes hat mir später immer wieder erzählt, bei meinem ersten Haarschnitt hätte ich kein Wort Deutsch verstanden und einen rein slowenischen Dialog mit ihm geführt. Ich erinnere mich nicht und habe die Sprache fast vergessen. (Ich bildete mir wohl schon immer ein, ich käme woanders her.) Während der Schulzeit auf dem österreichischen Land hatte ich manchmal Heimweh nach Deutschland, das für mich großstädtisch – das Berlin des Nachkriegs – war. Als ich vom Dritten Reich erfuhr, wußte ich, daß es nie etwas Böseres gegeben hatte, handelte auch, wo ich konnte, nach dieser Erkenntnis und fühlte doch nie das Deutschland, wie das Kind es erfahren hatte, damit verbunden.

Später lebte ich fast ein Jahrzehnt lang an verschiedenen Orten der Bundesrepublik, die mir weiter und heller vorkam als mein Geburtsland; und konnte mich dort, anders als in Österreich, wo – es war eine Erfahrung – kaum jemand meine Sprache sprach, zuweilen sogar mit Leidenschaft einmischen (wenn ich auch oft dachte, dabei etwas anderes zu verraten). Es ist mir immer noch vorstellbar, dort zu leben; denn ich weiß, daß es nirgends sonst so viele von jenen »Unentwegten« gibt, die auf die tägliche Schrift aus sind; nirgends so viele von dem verstreuten, verborgenen Volk der Leser.

Aber erst in Paris erlebte ich den Geist der Menge und verschwand im Getümmel. Aus der französischen Entfernung betrat ich dann eine, wie mir auffiel, immer bösere und wie versteinerte Bundesrepublik. Die Gruppen, mochten sie noch so

von »Zärtlichkeit«, »Solidarität« und »Mutma-
chen« reden, traten als Meuten auf, und die einzelnen wurden sentimental. (»Eigensinn, Sentimen-
talität und Reisen«, ist das Motto eines deutschen
Freundes.) Die Vorbeigehenden, gleich welchen
Alters, wirkten verlebt; *ohne Augenfarben.* Es
war, als ob selbst die Kinder, statt zu wachsen,
bloß so aufschössen. Die bemalten Hochhäuser
fuhren zerstückelt auf den öden Straßen als bunte
Autos weiter, und die Leute in den Autos erschienen ersetzt durch Nackenstützen. Die typischen
Geräusche waren das Rasseln der Parkuhren und
das Geknalle der Zigarettenautomaten; die entsprechenden Wörter »Abflußsorgen« und »Fern-
sehkummer«. Die Aufschriften an den Geschäften
waren nicht »Brot« oder »Milch«, sondern Ver-
ballhornungen und Anmaßungen. Überhaupt
hatte fast jedes Ding, auch in den Zeitungen und
Büchern, einen gefälschten Namen. An den Sonn-
tagen flatterten in der Leere die Kaufhausfahnen.
Die einzelnen Dialekte, einst »die Akzente der
Seele«, waren nur noch ein Radebrechen der See-
lenlosigkeit, das sich einem (wie in Österreich
auch) im Herzen umdrehte. Wohl gab es Briefkä-
sten für »Andere Richtungen« – jedoch kein Gefühl einer Himmelsrichtung mehr: selbst die Natur schien ungültig geworden; die Baumwipfel
und auch die Wolken darüber vollführten bloß
ruckende Bewegungen – während die Neonröh-

ren der Stockwerkbusse auf einen zielten, es hinter den Wohnungstüren von Hundeketten klirrte, an den offenen Fenstern die Leute in eine Ferne bloß nach Unfällen ausschauten, aus einer Sprechanlage in eine verlassene Straße hinein eine Stimme »Wer?« schrie, im Kopf der Zeitungen künstlicher Rasen angeboten wurde und etwas wie traurige Schönheit nur manchmal um die öffentlichen Toiletten schwebte.

Damals verstand ich die Gewalt. Diese in »Zweckformen« funktionierende, bis auf die letzten Dinge beschriftete und zugleich völlig sprach- und stimmlose Welt hatte nicht recht. Vielleicht war es woanders ähnlich, doch hier traf es mich nackt, und ich wollte jemand Beliebigen niederschlagen. Ich empfand Haß auf das Land, so enthusiastisch, wie ich ihn einst für den Stiefvater empfunden hatte, den in meiner Vorstellung oft ein Beilhieb traf. Auch in den Staatsmännern dort (wie in all den staatsmännischen »Künstlern«) sah ich nur noch schlechte Schauspieler – keine Äußerung, die aus einer Mitte kam –, und mein einziger Gedanke war der von der »fehlenden Entsühnung«.

In dieser Zeit verabscheute ich sogar die deutschen Erdformen: die Täler, Flüsse und Gebirge; ja, der Widerwille ging bis in den tiefen Untergrund. So war es für die Geschichte von dem Mann mit den gekreuzten Armen vorgesehen, daß

dieser als Erdforscher in seiner Abhandlung
»Über Räume« auch eine sogenannte Landschaft
Am kalten Feld in der Bundesrepublik beschreiben sollte. Zwei Flüsse hatten da in der Vorzeit um
die Wasserscheide »gekämpft«. Der eine, durch
sein stärkeres Gefälle, verlegte den Lauf zurück
und zapfte, »räuberisch zurückschneidend« (so
die Terminologie), jenseits der ursprünglichen
Wasserscheide den anderen Fluß an. Dessen Tal,
wie man sagte, wurde von der »Klinge« des erste-
ren »geköpft« und verödete. Sein unterhalb der
Anzapfungsstelle gelegenes Laufstück wurde derart zum »Kümmerfluß«, so daß das Tal da heutzutage viel zu breit erscheint und deswegen auch *Das
kalte Feld* heißt.
Aber der Geologe hatte sich noch vor dem euro-
päischen Boden in mich zurückverwandelt, und
ich wohnte in jener Zwischenzeit wieder in Berlin.
Ich las neu den *Hyperion,* begriff endlich jeden
Satz und konnte die Worte darin betrachten wie
Bilder. – Ich stand auch oft vor den alten Gemälden in Dahlem. Einmal trat ich aus der U-Bahn auf
den kleinen runden Platz von Dahlem-Dorf, sah
ihn gesäumt von vielteiligen Laternen wie die
Place Concorde in Paris, erschaute die Schönheit
einer »Nation« und empfand sogar etwas wie
Sehnsucht nach dergleichen. Gerade in Deutschland zeigte mir dann auch das Wort »Reich« seinen neuen Sinn; als ich nämlich, immer noch in

dem größeren Bogen, in den nördlichen »Ebenen«
unterwegs war, die Nicolas Born beschrieben hat,
und bei den gekurvten Sandwegen und dunklen
Wasserstellen wiederum an die holländischen
Landschaftsbilder aus dem 17. Jahrhundert
dachte. Der veränderte Sinn kam aus einer Unter-
scheidung: jene Landschaften, wenn auch nur ein
verkümmerter Baum oder eine einzelne Kuh in ihnen stand, zeigten den Glanz eines »Reichs« – und
ich bewegte mich hier in einem glanzlosen »Land-
kreis«.

Bis dahin war mir zudem nie aufgefallen, daß Berlin in einem breiten Urstromtal liegt (und es hätte
mich vorher wohl auch kaum interessiert); die
Häuser schienen immer nur wie zufällig in einem
steppenähnlichen Flachland verstreut. Jetzt be-
kam ich heraus, daß einige Straßenzüge entfernt
eine der wenigen Stellen der Stadt war, wo einst
das schmelzende Eiswasser einen deutlichen Hang
gebildet hatte. Dort befand sich der *Matthäus-
friedhof,* und auf seiner Kuppe, gerade haushoch
über dem sonstigen Niveau, sollte der Stadtteil
Schöneberg seine größte Meereshöhe erreichen.
(Die künstlichen Trümmerberge aus dem Krieg
zählten nicht.) – An einem Nachmittag machte ich
mich dahin auf den Weg. Passend die Schwüle und
der ferne Donner. Schon die erste winzige Stei-
gung der Straße versetzte mich in aufgeregte Erwartung. Ein sichtbarer Hang zeigte sich aber erst

im Friedhof. Oben auf der Kuppe verlief die Landschaft, üblich bebaut, in der Fläche weiter, die durch die kleine Böschung jedoch zur Terrasse wurde. Ich setzte mich da nieder (auf dem Grabstein neben mir die Namen der Brüder Grimm) und blickte in eine große Senke hinunter, wo sich die Stadt jetzt ganz anders erstreckte, und von weit weg, aus dem Talboden, sogar ein Flußgefühl kam. Die ersten Tropfen des Gewitterregens waren warme Schläge auf den Kopf, und ich kann jetzt auf den da Sitzenden rechtens einen Satz aus den alten Romanen anwenden: »Niemand war in diesem Augenblick glücklicher als er.« Beim Zurückgehen fühlte ich an der leicht abschüssigen *Langenscheidtstraße* das Spülen des Vorzeitwassers nach: eine linde und klare Empfindung. Am Abend leuchtete die Graphitspitze am Bleistift, und für ein paar Tage wehten die Fahnen am »Kaufhaus des Westens« in einem Talgrund.

Schließlich war ich unterwegs zum *Havelberg,* der, kaum hundert Meter über dem Meer, die höchste Erhebung Westberlins sein sollte. Beim Anstieg lagen auf einer Lichtung im Gras große graue Säcke, aus denen sich dann schlaftrunkene Soldaten aufrichteten. Auf einem Umweg gelangte ich zum Gipfel, den ich selber bestimmte, weil die Havelberge einen ziemlich gleichmäßigen Kamm bildeten, legte mich dort unter eine große Kiefer und atmete wieder den Wind der Gegenwart. In der Dämmerung blickte ich von einem Hochsitz, unter dem die Wildschweine liefen, hinüber nach Ostberlin, wo wir nach dem Krieg gelebt hatten.

Es kam zufällig, daß ich in diesem Jahr auch meinen Vater besuchte. Es gab schon lange keine Nachricht mehr von ihm, und ich war überrascht, als er dann das Telefon abhob. Er wohnte in einer norddeutschen Kleinstadt. Wie die paar Male, die wir einander bisher gesehen hatten, verabredeten wir uns ausführlich, verfehlten uns wie üblich und suchten den ganzen Abend die Gründe dafür. Er lebte nach dem Tod seiner Frau allein im Haus; nicht einmal einen Hund hatte er mehr. Seine gleichfalls verwitwete Freundin traf er nur an den Wochenenden; dazwischen ließ einer beim anderen kurz am Abend das Telefon anklingeln, zum Zeichen, daß man noch am Leben war. (Doch weder Haus noch Mann sollen hier mit den einschlägigen Formeln bekanntgemacht werden.) Ich sah in seinen Augen die Todesangst und fühlte eine verspätete Verantwortung. Er kam mir wie jemandes Sohn vor. Die halbherzige Fragerei wich dem Geist des Fragens, und ich konnte das lang Verschwiegene fordern (ich mußte es nur meinen). Und er gab Auskunft, auch sich selber zuliebe. Beiläufig sagte er, schon wenn er sich am Morgen im Spiegel sähe, würde er sich am liebsten »in die Visage hauen«, und erschien mir dann erstmals in der Verlorenheit, Bitterkeit und Aufsässigkeit eines Helden. Als er mich spätnachts zum Zug brachte, brannte an einem Bahnhofsbaum lichterloh ein Plakat, das die unbeschäftigten Taxifahrer da in Brand gesteckt hatten.

Danach erblickte ich einmal ein anderes Deutschland: nicht die Bundesrepublik und ihre Länder, und auch nicht das grausige Reich, oder das Fachwerk der Kleinstaaten. Es war erdbraun und regennaß; es lag auf einem Hügel; es waren Fenster; es war städtisch, menschenleer und festlich; ich sah es aus einem Zug; es waren die Häuser jenseits des Flusses; es lag, Ausdruck von Hermann Lenz, gleich »nebendraußen«; es schwieg humorvoll und hieß *Mittelsinn*; es war »das schweigende Leben der regelmäßigen Formen in der Stille«; es war »schöne Mitte« und »Atemwende«; es war ein Rätsel; es kehrte wieder und war wirklich. Und der es sah, kam sich schlau vor wie der Inspektor Columbo bei der Lösung eines Falls; und wußte doch, daß es nie ein endgültiges Aufatmen geben konnte.

Der Hügel der Kreisel

Es stand nun fest, daß ich von dem Berg Cézannes etwas weiterzugeben hatte. Aber was war das Gesetz meines Gegenstands – seine selbstverständliche, verbindliche Form? (Denn ich wollte mit dem Schreiben natürlich etwas bewirken.)

Meine Sache konnte nicht die rein im Sachgebiet die Bezüge suchende Abhandlung sein – mein Ideal waren seit je der sanfte Nachdruck und die begütigende Abfolge einer Erzählung.

Ja, ich wollte erzählen (und studierte mit Vergnügen die Abhandlungen). Denn schon oft hatte ich, lesend oder schreibend, die Wahrheit des Erzählens als Helligkeit erfahren, in der ein Satz ruhig den anderen gab und das Wahre – die vorausgegangene Erkenntnis – nur an den Übergängen der Sätze als etwas Sanftes zu spüren war. Und außerdem wußte ich: Der Verstand vergißt; die Phantasie vergißt nie.

Eine Zeitlang schwebte es mir vor, die einzelnen Ereignisse, den Berg und mich, die Bilder und mich, zu beschreiben und in unverbundenen Fragmenten nebeneinanderzustellen. Dann sah ich aber das Fragmentarische hier als das Wohlfeile, weil es nicht erst das Ergebnis einer die Einheit begehrenden und vielleicht daran scheiternden Anstrengung sein würde, sondern vorweg eine sichere Methode.

In Grillparzers *Armem Spielmann* las ich dann: »Ich zitterte vor Begierde nach dem Zusammenhange.« Und so kam wieder die Lust auf das Eine in Allem. Ich wußte ja: Der Zusammenhang ist möglich. Jeder einzelne Augenblick meines Lebens geht mit jedem anderen zusammen – ohne Hilfsglieder. Es existiert eine unmittelbare Verbindung; ich muß sie nur freiphantasieren. Und zugleich kam die wohlbekannte Beengung: denn ich wußte auch, daß die Analogien sich nicht leichthin ergeben durften; sie waren, Gegenteil von dem täglichen Durcheinander im Kopf, nach heißen Erschütterungen die goldenen Früchte der Phantasie, standen da als *die wahren Vergleiche,* und bildeten so erst, nach dem Wort des Dichters, »des Werkes weithin strahlende Stirn«. War das Vertrauen auf solche, die Erzählung zusammenhaltenden Analogien also nicht immer wieder eine Vermessenheit?

Das nächste Problem war die Zeit der Handlung. Es kam mir schon länger so vor, als gäbe es heutzutage keine Orte für eine Erzählung mehr. Schon für die Geschichte von dem Mann mit den gekreuzten Armen hatte ich einen Anlauf weit zurück in die Wildnis nehmen müssen und war dann allein bei Dingen wie einem »Flugzeug« oder einem »Fernseher« dem Scheitern nahe. So überlegte ich, die Handlung an die Jahrhundertwende zurückzuverlegen und als Helden den jungen Maler und Schriftsteller Maurice Denis auftreten zu lassen, der den verehrten Cézanne in dessen Landschaft tatsächlich einmal besucht hatte; ich fühlte auch die Atmosphäre von damals, allein durch den dicken schwarzen Rock im Atelier, der dem meines Großvaters glich.

Gehörte es dann aber nicht zu meiner Wahrheit, daß die Hauptperson jemand Deutschsprachiger sein sollte? So kam die Phantasie von einem angehenden jungen Maler im Österreich der Zwischenkriegszeit, der im Jahr 1938, kurz nach der Annexion des Landes durch die Deutschen, in die Provence aufbrach. Ich hatte schon ein Tiefenbild von einem solchen Menschen: ein später im Osten gefallener Bruder meiner Mutter, der auf einem Auge blind war und dessen Briefe aus dem Krieg, geschrieben in einer sehr klaren Schrift, ich als Kind immer wieder gelesen hatte. Auch als Heranwachsender hatte ich noch oft von ihm geträumt, und spürte jetzt geradezu ein Begehren, wieder er zu sein, und als er neu die blauen Hintergrundfarben an einem Bildstock zu erleben.

Zuletzt hoffte ich dann doch, daß es »ich« werden könnte (Sorger, den Erdforscher, hatte ich ja in mich einverwandelt, und so wirkte er ohnedies in vielen Blicken weiter). Nicht »erfinden« sollte ich ja, gemäß der Lehre, sondern »realisieren« (wozu im einzelnen immer wieder die Erfindung gehörte); und auch meine persönliche Gewißheit war ja die vom »guten Ich« Goethes als dem inneren Licht der Erzählung; als dem Hellen und Erhebenden, das beim Lesen erst den Geist des Vertrauens gibt. Nichts anderes ist lesenswert.

Es war dann beschlossen, ein zweites Mal in die Provence zu fahren, wo ich mir den letzten Aufschluß erwartete. Doch ich wollte dort nicht wieder allein sein. Immer stärker war das Bedürfnis nach jemand für mich Zuständigen: nicht nach einem Wissenden, sondern einem selber Herumstolpernden, dem man, wie manchem Kind, noch die großen Fragen stellen kann.

So verabredete ich mich mit D. in Aix. – D. stammt aus einer schwäbischen Kleinstadt und macht Kleider in Paris. Sie ist gleich nach der Schule dahin gegangen, hat im Zentrum zwei Zimmer gemietet und schon bald mit der Kleiderarbeit – wenn auch zunächst in den Geschäften gedemütigt – ihr Geld verdient. »Zum Zahnarzt«, wie für vieles andere, fährt sie freilich jedesmal in ihre Kindheitsumgebung zurück. Ihre Eltern gehören zum »verborgenen Volk«, und sie kennt die Bilder, nicht nur als Beiwerk, von Anbeginn.

Ihre eigenen Bilder sind die Kleider, von denen jedes einzelne seine besondere Idee hat. Die zwei Mietzimmer sind zugleich ein großer, von vielfarbigen Tüchern prangender Arbeitsraum. Sie nimmt ihre Tätigkeit wichtiger als alle Leute, die ich kenne, bezieht ihren Stolz daraus, wie nur je ein Künstler, und ist unwirsch mit jedem, der sie dabei stört.

Einmal, erzählte sie, sei sie auf den »Mantel der Mäntel« aus gewesen. Sie traute sich auch die

Kraft dafür zu; sei aber zuletzt an dem »Problem der Verknüpfung« gescheitert, das ich als Schriftsteller ja auch kennen müßte. (Dabei habe sie ihren »Größenwahn« verloren.) Aber das Stückwerk vom Mantel der Mäntel sei immerhin so schön, daß sie damit in der Métro von den Leuten andächtig angestarrt werde.

D. war es auch, die mir in Paris immer wieder Botschaften überbrachte: etwa die von der »Überwindung der Feinde durch Selbstbeherrschung«, oder von der »Macht eines Menschen über andere durch seine Empfindlichkeit«. Als sie Hitchcocks *Under The Capricorn* sah, erzählte sie von den Lippen Joseph Cottens, die so »ruhig im Gesicht« lägen; und nach den Filmen Ozus breitete sie beim Fußnägelschneiden eine Zeitung aus, weil auch des japanischen Meisters immer wiederkehrender Hauptdarsteller das so machte.

An D. ist nichts Frauliches oder Weibliches; sie wirkt kindlich-männlich-mädchenhaft und erinnert, wenn man sie läßt, und sie ihre Dinge sagt, an die Sklavin, die mehr weiß als jeder Herr. Einmal habe ich sie erkannt auf Rembrandts *Jakobs Kampf mit dem Engel,* wo sie der Engel war, der in der Genesis nur »Einer« genannt wird. Viele Leute, wenn man ihnen nahkommt, verraten eine ichlose, dämonische und böse Leere; D. aber bleibt immer undurchdringlich – und erträgt auch kaum fremde Berührung. Und antwortete dennoch einmal auf meine Frage, wozu sie ihren Freund bräuchte: »Worte allein begütigen mich zu wenig.«

Ihre Augen sind hell und mit Ringen umgeben. Als ich einmal krank war, kam sie und starrte mich erbarmungslos an, bis ich sie wegscheuchte. Und auch sonst gemahnt sie an einen struppigen Bodenvogel: sie macht keine Gesten, zieht kaum eine Miene, sondern hält entweder ganz still oder bewegt sich (eher plump). Dabei ist sie ganz Geistesgegenwart; kein Moment von Versunkenheit: wenn sie da ist, denkt sie nur noch *mit* und ist als Mitdenkende jene »bonne compagnie« Voltaires: »Er verschmähte die Wissenschaftler und wollte nur noch in guter Gesellschaft leben«.

Zugleich zeigt sich D. wenigen; sie ist schüchtern und leicht verlegen. Ihre Macht entfaltet sich am besten allein; bei der Arbeit; oder bei ihrem nächtlichen Kurven in Pariser Straßen, wo sich manchmal eine Hand auf ihren Kopf herabsenke (schon die Eltern seien »verliebt« gewesen in ihren Kopf).

Sie ist in der Regel schweigsam (erzählt aber zwischendurch viel, oder stößt eigenartige Laute von Rührung oder Ergriffenheit aus) und – selten bei Frauen? – gut zu Fuß. Wir waren schon öfter durch die Laubwälder zwischen Paris und Versailles gegangen, wo hier und da die weitastigen dunklen Zedern stehen.

Es war jetzt fast Winter. Ich hatte gerade einen Freund sterben sehen und freute mich neu des eigenen Daseins. Er, der sich sah als den »ersten Menschen, der den Schmerz erlebte«, hatte doch bis zum letzten Moment den Tod wegwollen; und ich war dankbar für jedes Ding und setzte fest: »Freude und Ausnützen der Tage der Gesundheit«.

Auf den Flughäfen standen die Leute für einmal in einer würdevollen Dunkelheit; schattige Gesichter, ohne die übliche Höllenhaftigkeit. Als jemand ausgerufen wurde, den ich einst gut gekannt hatte, kam es mir vor, als begegnete ich all den Leuten von früher nur noch als Namen in internationalen Lautsprechern.

Bei der Landung in Marseille tauchte das Massiv der Sainte-Victoire im nördlichen Horizont unter wie ein Wal. Die Platanen am Cours Mirabeau hatten fast all ihre Blätter verloren, und die Allee stand als fahlhelle Knochenreihe. Die Sommerprachtstraße von Aix war jetzt naß, grau und kahl und gehörte zum Straßennetz von Paris. Wir hatten die aus den alten Büchern bekannten »zwei bequemen Zimmer«. Ich schaute auf D.'s helle undurchdringliche Augen. Sie hatte auch schon das richtige Schuhwerk an, und wir machten uns gleich am nächsten Morgen ostwärts auf den Weg.

Es hatte sich in meiner Begierde nach dem Zusammenhang noch eine besondere Spur gezeigt, der ich mich verpflichtet fühlte, ohne daß ich wußte, worauf sie deutete und ob sie überhaupt weiterführte. In all den Monaten zuvor, sooft ich Cézannes Bilder von seinem Berg betrachtete, war ich immer wieder darauf gestoßen, bis diese Spur schließlich meine fixe Idee wurde.

Das Massiv zeigt sich ja vom Westen, wo es der Dreispitz ist, mit seinen Schichten und Falten in einem geologischen Querschnitt. Ich las, daß ein Jugendfreund des Malers ein Geologe namens Marion gewesen war, der Cézanne auch später auf vielen Motivgängen in die Landschaft begleitete. Als ich die entsprechenden Karten und Beschreibungen von dem Berg studierte, kreiste nachher die Phantasie, unwillkürlich und unerklärlich, ohne Unterlaß um ein und denselben Punkt: eine Bruchstelle zwischen zwei Schichten verschiedenartigen Gesteins. Diese befindet sich genau auf dem eher geruhsam ansteigenden Kammpfad, der vom Westen zur eigentlichen Hochkette hinaufführt, und ist rechtens ein »Punkt«, weil da, an der äußersten Ausbuchtung der einen Schicht in die andere, zusätzlich die Kammlinie durchschneidet. In der Natur mit dem freien Auge überhaupt nicht zu sehen, kehrt der Punkt doch auf den Bildern des Malers immer wieder, als kleinere oder größere Schattenbahn; sogar auf den Bleistiftskizzen ist die Bucht schraffiert oder wenigstens ein zarter Umriß.

Diese Stelle vor allem hatte mich – die Arbeit stand nun bevor – zur Wiederholung der Reise in die Provence bewegt. Ich erwartete mir von ihr den Schlüssel; und auch wenn der Verstand mir das ausreden wollte: ich wußte ja, daß die Phantasie recht hatte. – In Aix dann freute ich mich freilich nur noch auf den Weg.

Wir fuhren mit einem Linienbus bis zu einem Aquädukt und gingen von dort auf dem *Chemin de Bibémus* zu einer Heidehochfläche hinauf, die *Plateau du marin* heißt und wo auf den ersten Blick die Sainte-Victoire wie ein Findlingsstein hinten aus dem stachligen Heidekraut ragte. Hier ist auch der ruhigere Weg als die Route de Cézanne; er führt, ohne ein Dorf zu queren, nur auf den Bergkamm zu, und bald gibt es weder Asphalt mehr noch Auto.

In der Stadt war es noch verhangen von einem Morgenregen gewesen; doch auf dem Plateau ging rasch am weiten Himmel das Blau auf. Wir kamen in einen schütteren Pinienwald, wo die in alle Seiten strahlenden Nadeln die durchscheinende Sonne nachzeichneten. Nach einiger Zeit fragte ich D. schon einmal vorsichtig, wie es denn gekommen sei, daß sie bei der Arbeit am Mantel der Mäntel ihren »Größenwahn« verloren habe. Sie antwortete nur: »Den habe ich inzwischen wiedergefunden.«

Am Aufstieg hatten noch Eichen gestanden, die in Scharen die Blätter verloren. Jetzt gab es nichts als die immergrünen Kiefern, in einer lauen Luft, und am Horizont den ohne Jahreszeit schimmernden Berg. Äste rieben sich aneinander und ersetzten mit ihrem Knarren die sommerlichen Zikaden. Auch die schwarzweiße Elster tauchte wieder auf, am Ende eines Seitenwegs, mit den Bewegungen eines Papierflugzeugs. Es wurde mit der Zeit still auf dem Plateau, so daß die kleinen Geräusche aus den verschiedenen Ebenen wie ein Geläute ankamen. Der Blick zwischen die geöffneten Lamellen in das dunkle Innere eines Pinienfruchtzapfens ging zugleich auf die florblauen Risse in einer hoch oben treibenden Zirruswolkenschicht, und der Gedanke an eine Vogelstimme wurde diese Stimme selber.

Wir begegneten Läufern, Jägern und Soldaten, die hier aber alle im Recht zu sein schienen. Den Hund der Fremdenlegion gab es nicht mehr; oder er lag als Lehmklumpen in einem Hohlweg. Es ging oft bergauf und bergab, in Schleifen und Bögen: das Plateau ist keine »horizontale Erstrekkung« (wie man es nach den Bildern Cézannes beschrieben hat), sondern durchzogen von Schluchten und Einbrüchen. Gepackt von dem Ehrgeiz, mich in dieser Landschaft bis aufs klein ste auszukennen, war ich vor allem auf Abkürzungen aus, so daß wir uns mehr als einmal verirrten, getrennt den richtigen Weg suchten und uns dann wie zwei Idioten auf verschiedenen Hügeln stehen sahen.

Wir hatten gar nicht vorgehabt, auf den Gipfel zu gehen; aber schließlich, ohne Entschluß, stiegen wir weiter, bis wir ganz oben waren. Es war windig wie im Sommer, weder kälter noch wärmer als damals. Danach kehrten wir am späten Nachmittag in Le Tholonet ein und saßen müde und zufrieden in der *Auberge Thomé,* alias *L'Etoile d'Or.* – Schön, einfach sagen zu können, daß man hungrig war.

Der Blick ging hinaus zu dem Berg, auf dem wir gerade gewesen waren. Davor verlief ein niedriger Hügelzug, an einer Stelle durch eine Mulde unterbrochen. Der eine Hügelteil war nach einem Waldbrand kahl geblieben. An seinem Abhang wuchsen nicht einmal mehr Sträucher, und der Regen hatte in den nackten roten Mergel tiefe Furchen gegraben. Diese liefen in dem eher flächigen Hang wirr und unübersichtlich durcheinander; und das spülende Wasser hatte hier und da aus dem Erdreich auffällige Türme und Pyramiden herausgebildet, wo obenauf dicke bläuliche Felsbrocken lagen. Der ganze kahle Bereich, mit seinem Kreuz und Quer von Rinnen, die nirgends hinführten, entsprach im kleinen genau jenen aus-

gedehnten Brachgebieten in South Dakota, wo
viele Western spielen und die einst von den darin
Umherirrenden *Badlands* getauft worden sind. –
Der andere Teil des Hügelzugs, vom Feuer ver-
schont, war dicht mit Kiefern bewachsen, die Ast
über Ast, wie in regelrechten Stockwerken, bis
hinauf zur Kuppe standen. – D. saß zwischen mir
und dem Ausblick, in ihrem aus verschiedenfarbi-
gen Stoffen zusammengenähten Kleid, das zugleich ein Mantel war.

Erst jetzt, im nachhinein, fiel mir wieder der Punkt
ein, um den die Phantasie so lange gekreist hatte.
Ich schaute zu dem Bergrücken hinauf und suchte
die Bruchstelle. Sie war zwar mit freiem Auge
nicht sichtbar; aber ich wußte, daß sie gekenn-
zeichnet wurde von einem Stromleitungsmast, der
da auf der Kuppe stand. Der Fleck hatte sogar einen Namen: er hieß *Pas de l'Escalette*. Und unterhalb, in einem flacheren Schwemmland, war eine
kleine verlassene Hütte; in der Karte verzeichnet
als *Cabanne de Cézanne*.

Etwas verlangsamte sich. Je länger ich meinen
Ausschnitt sah, desto sicherer wurde ich – einer
Lösung? einer Erkenntnis? einer Entdeckung? eines Schlusses? einer Endgültigkeit? Allmählich
stand die Bruchstelle auf dem fernen Kamm in mir
und wurde wirksam als *Drehpunkt*.

Zuerst war das die Todesangst – als würde ich selber gerade zwischen den beiden Gesteinsschichten

zerdrückt –; dann war es, wenn je bei mir, *die Offenheit*: wenn je *der Eine Atem* (und konnte auch schon wieder vergessen werden). – Das Himmelsblau über der Hügelkuppe wurde *warm*, und der rote Mergelsand an dem Brachteil wurde *heiß*. Daneben auf dem Waldteil dichtauf die Pinienkörper im vielfältigsten aller Grün, die dunklen Schattenbahnen zwischen den Ästen als die Fensterreihen einer weltweiten Hangsiedlung; und jeder Baum des Waldes jetzt einzeln sichtbar, stehend sich drehend, als *ewiger Kreisel*; mit dem auch der ganze Wald (und die große Siedlung) sich drehte und dastand. – Dahinter der bewährte Umriß der Sainte-Victoire, und davor D. in ihren Farben, als beruhigende Menschenform (ich sah sie momentlang als »Amsel«).

Niemand geriet außer sich und warf die Arme in die Luft. Aber es war doch viel. So näherte jemand beide Hände langsam einander an und verschränkte sie übermütig zu einer Faust. Ich würde den Coup wagen und aufs Ganze gehen! – Und ich sah das Reich der Wörter mir offen – mit dem *Großen Geist der Form*; der Hülle der Geborgenheit; der Zwischenzeit der Unverwundbarkeit; für »die unbestimmte Fortsetzung der Existenz«, wie der Philosoph die Dauer definiert hat. An keinen »Leser« dachte ich da mehr; blickte nur, in wilder Dankbarkeit, zu Boden. – Schwarzweißes Steinchenmosaik. Über der Stiege, die in den ersten

Stock der Auberge hinaufführte, schwebte, am Geländer festgebunden, ein blauer Luftballon. Auf einem Tisch im Freien stand ein hellroter Emailkrug. Fern über der Hochebene des Philosophen war die Luft von jenem besonders frischen Blau, mit dem Cézanne den Bereich so oft gemalt hat. Über die Bergwand selbst flogen die Wolkenschatten, als würden da immerzu Vorhänge gezogen; und endlich (früher Sonnenuntergang der Dezembermitte) stand das ganze Massiv ruhig im Gelbglanz, wie gläsern, ohne doch, wie ein anderer Berg, die Heimkehr zu verwehren. – Und ich spürte die Struktur all dieser Dinge in mir, als mein Rüstzeug. TRIUMPH! dachte ich – als sei das Ganze schon glücklich geschrieben. Und ich lachte.

D. hatte wieder einmal mitgedacht und konnte auf meine Frage nach dem Problem der Verknüpfung und Überleitung sofort antworten. Sie hatte sogar die Muster der verschiedenen Stoffe mitgebracht, die für den Mantel bestimmt gewesen waren: Brokat, Atlasseide und Damast.

»Ich soll dir also von dem Mantel erzählen. Es fing damit an, daß ich das, was ich mir überlegt hatte, die große Idee nannte. Der Mantel sollte sie leibhaftig machen.

»Ich fing mit einem Ärmel an. Es gab sofort Schwierigkeiten, dem weichen, haltlosen Material die feste, gewölbte Form aufzuzwingen, die ich wollte. Ich entschloß mich, die Stoffe auf dicke Wolle zu arbeiten.

»Der Ärmel wurde fertig. Er kam mir so kostbar und schön vor, daß ich meinte, für die anderen Teile des Mantels nicht mehr dieselbe Kraft zu haben.

»Ich dachte an meine Idee; an die Momente von Spannung und plötzlichem Weichwerden in der Natur; wie eins ins andere geht.

»Täglich schaute ich auf den angefangenen Mantel, ein oder zwei Stunden lang; ich verglich die Teile mit meiner Idee und überlegte mir die Weiterführung.

»Der obere Teil wurde fertig. Mit dem unteren Teil verlor ich den Zusammenhang. Ich nähte Stücke, die sich als verbindungslos zum oberen Teil herausstellten. Die Arbeit wurde jetzt erschwert durch das Gewicht der ineinandergenähten dünnen und kräftigen Stoffe, die ich an der Nähmaschine hochhalten mußte, immer bedacht, nichts ins Rutschen zu bringen.

»Ich legte die Teile nebeneinander vor mich hin, keines paßte zum andern. Ich wartete auf den Moment, wo ich auf einmal das eine Bild finden würde.

»Während dieser Zeit des Anschauens und Ausprobierens fühlte ich mich körperlich schwach werden und unfähig. Ich verbot mir, auch nur an die große Idee zu denken.

»Abbildungen und Baupläne von chinesischen Dachkonstruktionen wurden mir spannend, und das Problem der Entlastung von Gewichten durch richtige Überleitungen. Ich sah, daß es einen Bereich des Dazwischen überall gab.

»An einem späteren Tag nähte ich, ohne weiter zu überlegen, die Teile zusammen und gab dem Rock an einer Stelle eine Rundung nach innen. Ich war aufgeregt vor Sicherheit.

»Ich hing den Mantel an die Wand. Jeden Tag prüfte ich ihn und begann, ihn zu achten. Er war im Vergleich besser als alle meine anderen Kleider, und er war nicht vollkommen.

»Bei der Anfertigung eines Kleids muß jede bereits benutzte Form für die Weiterarbeit im Gedächtnis bleiben. Ich darf sie aber nicht innerlich zitieren müssen, ich muß sofort die weiterführende, endgültige Farbe sehen. Es gibt in jedem Fall nur eine richtige, und die Form bestimmt die Masse der Farbe und muß das Problem des Übergangs lösen.

»Der Übergang muß für mich klar trennend *und* ineinander sein.«

Der große Wald

Im Wiener Kunsthistorischen Museum hängt ein Gemälde von Jakob van Ruisdael, mit dem Titel

Der große Wald. Es zeigt einen weiträumigen Laubwald mit starken Eichenstämmen; darunter das auffällige Weiß der bei dem Maler so oft wiederkehrenden Birke. Auch das dunkel spiegelnde Wasser im Vordergrund ist bei Ruisdael ein vertrauter Gegenstand. Hier stellt es eine Furt dar, so seicht, daß die Spuren des Karrenwegs durchscheinen, der danach gelbsandig, mit einer Linksdrehung, in die Waldsphäre weiterführt. Wahrscheinlich hat das Bild seinen Namen nur von seinen Ausmaßen. Denn der sichtbare Wald ist klein; gleich dahinter beginnt eine freie Fläche. Und er ist auch friedlich bevölkert: vorn von einem Wanderer, der mit Hut, Stock und abgelegtem Bündel am Wegrand sitzt; hinten von einem Mann und einer Frau, die als Paar aus der Wegkurve herausspazieren, leichtgekleidet, mit einem Schirm (am Himmel sind weißgraue Wolken). Aber vielleicht ist das Bild tatsächlich der Ausschnitt eines »großen Waldes«; vielleicht ist der Standpunkt nämlich nicht draußen, sondern schon im Innern, und der Blick wendet sich, wie es bei einem Wanderer natürlich ist, aus der ersten Waldestiefe noch einmal zurück. Das Weitegefühl wird noch bestärkt durch eine Besonderheit der niederländischen Landschaften aus dem 17. Jahrhundert: wie kleinformatig sie auch sind – sie fangen doch, mit ihren Wasserflächen, Dünenwegen und dunklen Laubständen (unter einem reichen

Himmelsanteil), im Betrachten allmählich zu wachsen an. Spürbar stehen und wachsen die Bäume, und mit ihnen wächst eine allgemeine, ruhige Dämmerung. Sogar die zwei haltenden Reiter: sie stehen und wachsen.

Einen derartigen Wald gibt es in der Nähe von Salzburg: kein Stadtwald von heute, kein Wald der Wälder; doch wunderbar wirklich. Er heißt nach dem Dorf *Morzg,* das an seinem Ostrand liegt. Der Weg dahin beginnt in der paßähnlichen Mulde zwischen dem *Mönchsberg* und dem *Festungsberg,* genannt *Schartentor,* das eine Art Wegscheide bildet zwischen der inneren Stadt und der südlichen Flachebene, mit ihren bis an den Fuß des Untersbergmassivs sich erstreckenden Siedlungsausläufern. Der Wald ist schon im Torbogen zu erkennen: er durchzieht, dem Anschein nach mit sehr hohen Bäumen, die Ebene von Osten nach Westen, noch vor dem zweihöckrig sich erhebenden Felshügel von Hellbrunn. Kaum eine Wegstunde entfernt, steht er, vom Stadtgebiet aus gesehen, doch schon in einer leichten Fernbläue, als verliefe etwas wie ein Fluß dazwischen (tatsächlich fließt die Salzach weiter ostwärts). Nach einer von betonierten Pfaden gekreuzten und von Schritten hallenden Stadtwiese – in der Mitte einzeln das ehemalige »Flurwächterhaus«, wo am Abend eines der Fenster von einem kaum wahrnehmbaren Innenlicht glimmt und ein stimmloser

Gesang heraustönt –, und einer in drei hintereinander postierten Ampeln, mit jeweils neuen Stopzeichen, zu querenden Umfahrungsstraße folgt schon ein stiller Bereich (der *Thumeggerbezirk*), an dem nichts Städtisches mehr ist und bis zum Ziel keine Schaufenster mehr ablenken. Neben dem Weg fließt in die Gegenrichtung ein kleiner Bach, der eigentlich der Seitenarm eines Kanals ist und dessen Glanz sich manchmal ausdehnt und an etwas Unbestimmtes erinnert. Die Bäume sind hier vor allem Birken, wie naturwüchsig und weithin das Bild bestimmend, als stünden sie fern in Osteuropa. Die Gebüsche sind die lichtroten Weiden, in der durchscheinenden Sonne ein Gewirr aus vielarmigen Leuchtern.

Unversehens steigt dann der in der Ebene dahinführende Weg leicht an – gerade so viel, daß die Radfahrer sich für einen Augenblick aus dem Sattel heben müssen – und läuft auf einer neuen Ebene weiter. Die paar Meter Höhenunterschied machen schon ein Plateau aus. Die Wiese hier ist keine Stadtwiese mehr, sondern ein freies Feld mit einem vereinzelt stehenden Bauernhaus. Spürbar jetzt auch ein Fallwind von dem im Hintergrund aufragenden Untersberg (noch deutlicher, geradezu als plötzliche Warmluft, auf dem Rückweg die Windruhe im kaum tieferen Niveau). Über dem Moorstreifen am Bergfuß, nicht sehr fern, lagert oft feiner Dunst, aus dem, wenn er sich zu Nebel verdichtet, die Baumkronen aufblühen. Auch der Wiesenvordergrund besteht schon aus Moorerde: die Maulwurfshügel sind schwarz (mit weißen Steinchen darin); hier scharren die Hühner vom Hof, oft mit windgesträubten Halskrausen. – Ein anderer kleiner Kanal unterquert in einem Betonrohr den Weg, auf dem ein Kalkblock liegt, der wie über eine Brücke in die folgende Siedlung führt.

Das Besondere an dieser sind die zwei mächtigen windschiefen Kiefern, die an ihrem Eingang – nicht am Rand, sondern als Inselbäume mitten im Asphalt stehen, ein Vorwerk zu der Kiefernreihe, die am Ende der Straße erscheint, oft in einem überhellen Spiegellicht. Durch die Fenster vieler Häuser geht hier der Blick schon in ein leeres Hinterland: städtisch an der Siedlung ist allein, daß sie »Gasse« heißt. Aber es ist auch nichts Ländliches an ihr. Die beiden Häuserzeilen stoßen wie in die Brache vor. Die Gebäude sind niedrig, deutlich verschiedenfarbig, vielfach mit Holzteilen; fast an allen verbreiten sich reliefartige Spalierbäume. Diese *Tauxgasse*, lang und gerade, erinnert, auch durch die schwarze Tundraerde in den Gärten und die oft von Haus zu Haus verschiedensprachigen Stimmen, an eine »nördliche Pionierstraße«. Statt der dort an Pflöcke geketteten, winselnden und heulenden Hunderudel laufen hier freilich die vielen Katzen still zwischen den Häuserzeilen hin und her.

Am Ende der Straße erweist sich die Kiefernreihe dort als der Eingang zu einem Friedhof. Aus dem Gasthaus davor werden manchmal Betrunkene gestoßen, die noch eine Zeitlang im Trotzgesang vor der Tür bleiben, dann jäh verstummen und weggehen. Der Friedhof ist sehr groß, und mehrere parallele Wege führen durch ihn südwärts weiter, überragt von der Statue eines Gekreuzigten, der – wie noch auf keinem Gemälde – zuerst von der Seite erscheint. Jeder Weg ist eine lange Wandelallee, in deren Ausgangsbogen grün das Vorfeld zu dem Morzger Wald schimmert. Manchmal bewegen sich hier langsame Trauerzüge, wo bei Glockengeläute hinter einem Sarg einhergehende Fremde für einen Augenblick zu eigenen Angehörigen werden.

Das Vorfeld ist die dritte Wiese auf dem Weg: keine Stadtwiese mehr, auch keine bäuerliche Nutzfläche, sondern ein weiter, fast baumloser Plan, der an einen erst kürzlich verlandeten See denken läßt; windig und nach der milden Friedhofsluft oft noch winterlich kalt. Ein Teil davon dient als Sportplatz, und ein zufällig Vorbeigehender kann hier zu Schiedsrichterentscheidungen aufgerufen werden; überhaupt sind die Kinder hier zutraulicher als sonstwo, und fremde Erwachsene werden von ihnen in Wettergespräche verwickelt, die in der Regel mit einem »Kalt heute, nicht wahr?« anfangen. An einer Stelle ziehen sich die langen Holzstangen eines Pferdegeheges dahin, wo bei Nebel der Blick wie durch japanische Schiebetüren geht. Ein ehemaliges, einzeln stehendes Bauernhaus ist belassen und sogar hergerichtet wie früher, mit Brunnen, Wassertrog und Steinbank, auch einem massigen Holzscheitkegel – doch ergibt das nirgends einen Hofraum mehr. – Erst hier wird der Wald wieder sichtbar: nahbraun (tintig in der Dämmerung) und fast die ganze Horizontebene einnehmend; und zugleich schmal: zumindest scheint an einer Stelle schon die andere Seite durch. Zur Rechten, himmelhoch über ihm, der kalkige Pyramidenstumpf der Untersbergspitze; zur Linken, weiter im Hintergrund, ein Riffberg, der mit seinen regelmäßigen Rillen im Sonnendunst als riesenhafte Jakobsmuschel erglänzt. Der Weg führt nun gerade auf den Wald zu; das Grasland gehört schon zu dessen Bereich, als seine übergroße Lichtung.

Das Zeichen des Waldbeginns (neben den Hochsitzen) sind die Haselnußsträucher, mit ihren dem kleinsten Wind nachwehenden gelben Kätzchen, dicht-parallel fallende feine Striche, wie Regen auf Schemazeichnungen. Der Baumbestand selber erscheint als dunkler, in sich verzahnter Fichtenforst, dessen Einzelteile – und damit das Ganze – sich gleich zu drehen anfangen werden.

Das Betreten des Waldes geschieht auf dem breiten, geraden Weg wie durch einen richtigen

Haupteingang. Das Schwellengefühl ist eine Ruhe, die absichtslos weiterführt. Im Inneren zeigt sich, daß der von außen wie in einer Ebene verlaufende Wald einen kleinen, ostwärtsstreichenden Hügelrücken verbirgt (vom Vorfeld nur sichtbar bei Schnee, wenn der ansteigende Boden durchscheint). Die Einwohner von Salzburg kennen den dahinterliegenden Hügel von Hellbrunn, mit dem Park und dem Schloß an seinem Fuß, die ein Ausflugsziel sind. Doch wenige wissen von dem Morzger Wald dazwischen, und kaum einem ist bekannt, daß der Wald zum Teil auf einem Felskamm steht. Nur Nutzwege und unordentliche Pfade queren diesen, und es gibt hier nur selten Spaziergänger; höchstens das Keuchen eines Läufers, dem bei jedem Schritt die Gesichtshaut, wie eine zweifache Maske, von tot auf lebendig springt. Eine Bretterwand in einem großen Bombentrichter, an der das Holz an einer Stelle, genau gesichtsgroß, wie von Nagetieren durchlöchert ist, erinnert an eine andere Maske: was zunächst ein bloßer Holzverschlag war, erweist sich nah vor Augen als Zielscheibe; und die scheinbare Ruhebank davor ist der dazugehörige Schießstand. Dabei ist die Anhöhe dem zivilisierten Hellbrunner Felsen in der Entstehung nah verwandt: wie er hat sie sich in einer Zwischeneiszeit aus den Schottermassen gebildet, die der Schmelzfluß da in einen gardagroßen See ablagerte und mit dem kalkigen Wasser zu dem heutigen Felsen zementierte. Dieser ist freilich viel niedriger als der von Hellbrunn (vielleicht vier Stockwerke hoch), und kaum länger als ein mittlerer Straßenzug. In einer schematischen Darstellung wäre er ein der Stadt Salzburg südlich vorgelagertes Schanzwerk, das sanft ansteigt und dann steil (an der Kuppe sogar in jähen kleinen Felswänden) abfällt.

Vom Weg aus erscheint von dem Hügel zunächst der Westfuß, wo sich zugleich, wie ein farbiger Einschluß in der Fichtenmasse, ein heller, fast parkähnlicher Bereich aus Akazien, Erlen und Hainbuchen öffnet, zwischen denen überall mögliche Wege hügelan führen; die einzigen Nadelbäume sind hier die Lärchen, unter denen ein besonders dichtes und weiches Gras wächst. Eine mächtige Buche steht an diesem Laubhain gleichsam als der »Anfangsbaum«; in seinen Wurzeln, die wie Felsflanken fallen, ein alter Grenzstein, von den Knorren umschlungen und fast überwuchert. Gleich dahinter, noch am Sockel, ein unter einer dicken Laubschicht verstecktes Wasserloch – zunächst scheinbar eine zufällige Regenlache –, wo das Wasser klar, in fast unmerklichen Schlieren, durch die schwärzlichen Blätter aus dem tiefen Boden quillt und trinkbar ist (geheimer Vorrat für einen Notfall). Auffällig, schon auf dem Weg dahin, die rundlichen Steine unter dem Gras, regelmäßig und dichtgefügt, wie ein Kopfsteinpflaster. Sie sind vielfarbig, und die Moosflechten haben in jeden einzelnen eine deutliche Bilderschrift geätzt, von einem zum anderen völlig verschieden, wie Überlieferungen aus getrennten Erdteilen. Ein roter glockenförmiger Buckel wiederholt im kleinen einmal den australischen *Ayers Rock,* den größten Einzelberg der Erde; auf einem anderen steht eine indianische Jagderzählung. In der Dämmerung, wenn das Pflanzenwerk darüber verschwindet, offenbaren sich diese Steine als Geheimschrift und leuchten als eine düsterweiße, waldeinwärts führende Römerstraße.

Hügelan verliert sich die Pflasterung, und die Römerstraße wird zum Hohlweg mit Karrenspuren. Die spielenden Dorfkinder haben hier (inzwischen getrocknete) Lehmkugeln geformt, die in der Atemfeuchte wieder frisch nach Regen riechen. Beim Blick nach oben sitzt oft in einer Lärche ein einzelner Vogel, der, mag er noch so klein sein, im dünnen Zweigwerk dieser Baumart als seltsam kräftiger Umriß erscheint. Die rostbraunen Wetterseiten an den Stämmen, die die Ost-West-Richtung anzeigen, bleiben nach einem Schneesturm noch lange weiß, als wären alle Bäume dann Birken. Und bei einem Regen gibt es nichts Schwärzeres als die Elefantenbeine der Buchenschäfte.

Der Hohlweg, in den zu jeder Jahreszeit die Herbstblätter einschweben, endet vor einem

Holzstoß; dahinter beginnt ein lochschwarzes Dickicht – freilich auch schon die einzige Stelle, wo sich in dem kleinen Wald etwas wie eine Tiefe zeigt. Der finstere Bunker lockt zum Betreten; doch nicht einmal ein Kind könnte sich durch die spalierdichten Schäfte zwängen. Zudem ragen davor zahlreiche Erlen jäh aus dem Boden; keine Bäume mit Ästen und Gezweig, sondern nackte, sich kreuzende Stangen (die bei einem Sturm nicht entwurzelt werden, sondern mittendurch brechen): sie stellen insgesamt vor das Unterholz eine Art Umzäunung hin, verknüpft von den dazwischen wuchernden Lianen.

In diesem Netzwerk haben sich jene Blätter verfangen, die dann im Gedächtnis für den ganzen Wald stehen. Es ist angewehtes Buchenlaub, hell und oval; die Ovalform noch verstärkt durch die Rillen, die in jedem Blatt von der Mitte zum Rand ausstrahlen; die Farbe ein gleichmäßiges *Lichtbraun*. Für einen Augenblick ist es, als hingen da im Gebüsch Spielkarten – die dann für immer waldweit auf dem Boden liegen, im kleinsten Windhauch blinkend und sich aufblätternd, und überall als ein verläßliches Spiel wiederkehrend, dessen einzige Farbe das strahlende Lichtbraun ist.

Durch den folgenden Fichtenstreifen, für diese Baumart ziemlich weiträumig, scheint, schon in Wurfweite, der schroffe Kamm durch, der sofort als etwas deutlich »Umkämpftes« wirkt. Der gemeinsame Schrei eines darüber hinwegfliegenden Vogelschwarms kann hier wie eine Salve knallen. Dazu gehört auch das scharfe Klicken eines Steins, der in der Stille unbestimmbar – der Boden ist weithin Moos – auf andere Steine fällt. Die irrlichternden weißen Wölkchen zwischen den Bäumen sind indessen nur Rehspiegel, zu denen sich mit jedem Blick im Umkreis noch mehr gesellen. (Sie gehören zu dem Kartenspiel.) Oder es tauchen hinter den Stämmen die Gesichter der spielenden Dorfkinder auf, seltsam von ihren Körpern getrennt, wie auf alten Bildern die Gesichter der Heiligen. – In dem Fichtenbereich, oft als abschreckend oder unheimlich bezeichnet, ist es bei Regen und Wind doch ziemlich ruhig und trocken unter den Kronen, und spürbar wärmer als draußen im Freien (kräftiger Herzschlag, wenn die Stirn an einem Stamm lehnt). Die abgefallenen Fichtenzapfen fangen mit der Zeit lichtbraun zu schimmern an.

Auf der Kuppe weder ein Rundblick noch die üblichen Aussichtsbänke. Doch die Baumwurzeln bilden viele Ruhesitze, und die Beine können über die Klippe hängen. Die Stadt im Norden (»gegen Mitternacht«) unsichtbar; gegen »Mittag« scheint von unten nur eine weite unbebaute Grasfläche durch. Die kleine Felswand, fahlgrau wie ein Termitenbau und erkennbar das Material mancher Grabsteine im gerade durchquerten Friedhof, geht gleich in den südlichen Steilhang über, wo zwischen den Bäumen überall Brocken wie von Steinlawinen hängen und das viele Birkenstammweiß auf den ersten Blick wie von einem Schneesturm stammt. Das Grün des leeren Feldes unten wird mit der Zeit warm und tief, und streckt sich dann weit jenseits der Stadt. In seiner Diagonale verläuft ein Weg, wo einmal ein Kind hinter einem Mann herrannte, ihm auf den Rücken sprang und weitergetragen wurde. Ein anderes Mal wuchs da ein tatsächlicher Reiter in der Dunkelheit mit seinem Pferd zu einem einzigen Riesengeschöpf zusammen. Der Dialekt der dort unten Gehenden hört sich von weitem wie alle Sprachen in einer an.

Oben auf der Kuppe kommen fast nur die Dorfkinder vorbei. Mit ihren wechselnden Kostümen sind sie das Bunte im Wald. Dieser ist ihr großer Spielgrund, und sie können über ihn viele Auskünfte geben. Frage: »Kennt ihr den Wald?« – Antwort: »Und wie!« Auch wenn es still ist und kein Mensch sichtbar, ist der Hügel gewiß mit ihnen bevölkert. Beim ersten Donnerschlag eines Gewitters laufen überall zwischen den Bäumen Gestalten nach Hause.

Der Kammweg, indem er gerade und fahlgrau ostwärts fährt, erinnert flüchtig an eine Heerstraße. Das kahle Gestänge, das hier aufwächst, reibt sich im Wind schrill aneinander oder gibt dumpfe Morsezeichen. Die harzträenden Stellen in den Baumrinden rühren von Einschüssen? Von einer einzelnen Buche hat der Blitz den Hauptast abgeschlagen, so daß der nackte Stamm drei leuchtende Fahnenbahnen zeigt: das Weiß der Bruchstelle, das Blaugrau der windabgekehrten Südseite, das Rostgelb der Wetterseite (bei Regen ein Schwarz). Die weißen Blüten im Gras erweisen sich als Tiergebiß. Und wirklich kommt vielleicht aus dem Dickicht mit knickenden Beinen ein Hund abgebogen, vor dem die Zunge lang hin und herschwingt wie eine Peitsche, und beschnüffelt lautlos von hinten die Kniekehlen. Die scharfkantigen Nagelfluhnischen am Weg sind wieder die alten Felsengräber. Aber sie sind leer. Die lichtbraunen Buchenblätter sind hineingeweht und strahlen mit ihren Ovalen und Parallelen die unendliche Ruhe aus.

Dann schon der Abhang, wo die einzige ständige Quelle des Waldes entspringt (heute fingerdick, morgen armdick). Sie hat unten sogar ein kleines Tal gebildet, mit den drei klassischen Terrassenstufen. Am Ostfuß des Hügels jetzt auch die längst erwartete Felshöhle, verschlossen mit einer Eisentür. Hallendes Getropfe aus dem Innern; dazwischen vibrierende Töne, wie von leichten Schlägen auf das Fell einer Trommel. Und wieder die Auskunft der Kinder: sie waren »schon oft« in der Höhle; keine Fledermäuse; es würden da Champignons gezüchtet.

Hier, im flachen Auslauf des Waldes zum Dorf, dessen Häuser schon durchscheinen, liegt endlich auch der erhoffte Weiher. Die Quelle mündet in ihn, und der Weg führt in einer breiten Schneise wie eine Allee auf ihn zu. Er bleibt bis in den Nachwinter eine weißgraue Eislinse. Auf dem bewußt langsamen Gang dahin sind die Reste eines Bohlenwegs unter den Sohlen eine andere unbestimmte Erinnerung. Zwischen den Fichten stehen zahlreiche Holunderbüsche, auffällig als Gesträuch unter den hohen Nadelbäumen. Die Zweige befiedern sich schon früh im Jahr mit schattiggrünen, an der Spitze oft bläulichen Blättern. Hier, in der Dorfnähe, ist zudem der einzige Bereich, wo sich Vögel versammeln. Ihre komplizierten Stimmen verwandeln den Wald in eine Halle. Manche sind wie Pausenzeichen; ein gedehnter Pfiff wie das Lassoschwingen eines Rodeoreiters. Der Gesang wechselt mit den Jahreszeiten und läßt an einen langsam rotierenden Sternenhimmel denken. In der Dämmerung erscheint in dem hellen, vielfältig gewundenen Holz der Holunderbüsche ein Glimmen wie vom Boden herauf. Oft barfuß, gehen die letzten Kinder daran vorbei. Das Muster eines einzelnen Fichtenzweigs daneben gemahnt an einen Palmwedel.

Im eisfreien runden Teich kreist fast unmerklich das Wasser. Es ist fischreich, und obenauf schwimmen Stücke wie von vulkanischem Tuffstein, die Styropor sind. Am Rande des Weihers ein aus Türen gezimmertes Floß, in den Böen vom Vorfeld schaukelnd wie auf einer Seewelle. Leichte Tupfer eines Abendregens als Wohltat auf der Stirn.

An der Schwelle zwischen dem Wald und dem Dorf, wo im Weg neu die Steine der Römerstraße leuchten, wieder ein Holzstoß, zugedeckt mit einer Plastikplane. Der rechteckige Stapel mit den gesägten Kreisen ist das einzige Helle vor einem dämmrigen Hintergrund. Man richtet sich davor auf und betrachtet ihn, bis nur noch die Farben da sind: die Formen folgen. Es sind auf den Betrachter zeigende Läufe, die aber im einzelnen jeweils woanders hinzielen. Ausatmen. Bei einem bestimmten Blick, äußerste Versunkenheit und äußerste Aufmerksamkeit, dunkeln die Zwischenräume im Holz, und es fängt in dem Stapel zu kreisen an. Zuerst gleicht er einem aufgeschnittenen Malachit. Dann erscheinen die Zahlen der Farbentest-Tafeln. Dann wird es auf ihm Nacht und wieder Tag. Mit der Zeit das Zittern der Einzeller; ein unbekanntes Sonnensystem; eine steinerne Mauer in Babylon. Es wird der umfassende Flug, mit gebündelten Düsenstrahlen; und schließlich, in einem einmaligen Flimmern, offenbaren die Farben quer über den ganzen Holzstoß die Fußspur des ersten Menschen.

Dann einatmen und weg vom Wald. Zurück zu

den heutigen Menschen; zurück in die Stadt; zurück zu den Plätzen und Brücken; zurück zu den Kais und Passagen; zurück zu den Sportplätzen und Nachrichten; zurück zu den Glocken und Geschäften; zurück zu Goldglanz und Faltenwurf. Zu Hause das Augenpaar?

*Geschrieben im Winter und
Frühjahr 1980, in Salzburg*